UN CAFÉ A SOLAS

Miguel Ángel Montero

Depósito Legal: AB 589-2022

I.S.B.N.: 978-84-09-46511-8

MIGUEL ÁNGEL MONTERO

Funcionario docente, que me ha permitido aprender de la sabiduría de los niños; licenciado en Antropología, su estudio me sirvió para analizar a los humanos y tratar de entenderlos; viajero compulsivo, recorriendo más de 60 países, he podido comprender que la felicidad es una actitud.

Autor de *El hombre que tenía miedo a vivir, Cuentos y preguntas para vivir despiertos* y *Lo que eres*. Títulos que han sido avalados por miles de lectores, alcanzando reconocimiento internacional, con traducciones a varios idiomas, como el inglés, el italiano, el serbio, el polaco, el ruso, el francés, el croata o el búlgaro.

En esta lectura, te invito a saborear *Un café a solas.*

miguelangelmontero.com

contacto@miguelangelmontero.com

A las personas que llegaron...
y se quedaron

Todos tenemos dos vidas: la segunda comienza cuando nos damos cuenta de que solo tenemos una.

CONFUCIO

1

Julio de 2019

¿Cuántos pensamientos pueden sucederse en un segundo?

¿Y si fuera el último?

Un sinfín de imágenes se paseó delante de él en un simple segundo, que fue tan fugaz como eterno, que pudo decidir el principio o el fin. Un segundo en el que una intensa luz le cegó y solo hubo tiempo para dos acciones: cerrar los ojos y esperar.

2

—Ha sufrido un traumatismo craneoencefálico y se encuentra en un estado de semiinconsciencia.

—¡No, por favor! ¡Dígame que se va a recuperar!

—Todavía no podemos precisar una valoración, los traumatismos son muy variados y evolucionan de forma dispar. Las primeras veinticuatro horas serán cruciales.

—Sinceramente, doctor, ¿cómo lo ve?

—Comprendo su impaciencia, pero no puedo concretarle nada, lo siento. La exploración inicial apunta a que la lesión se originó a causa de un brusco movimiento inercial de aceleración-desaceleración.

—¿Y eso es bueno o malo?

—Dependiendo del nivel de inercia ejercido, podremos estar hablando de una conmoción cerebral, que albergará grandes probabilidades de recuperación total, o de una lesión en los axones del tronco cerebral.

—¿Y qué pasaría en el segundo caso?

—No nos pongamos en lo peor. En unos minutos le practicaremos una resonancia magnética, que aportará datos más reales para acercarnos al diagnóstico.

Difusamente, Alberto percibió esta conversación, agredido por un profundo dolor de cabeza. Asimismo, procedente de una afligida voz familiar, llevaba escuchando un buen rato la misma frase: «te pondrás bien».

Sin embargo, él se encontraba bien, a excepción de la cefalea, todo su cuerpo irradiaba armonía. Alojaba una indescriptible paz que le excluía de la desgracia. Experimentaba un sosiego que le proporcionaba gozo, pero también temor hacia lo ignoto.

Separando los párpados con dificultad, divisó nebulosamente el níveo techo de una habitación, que apenas podía inspeccionar visualmente pero, sin duda, resultaba inédita.

Suponía para él un tremendo esfuerzo mantener los ojos abiertos, ya que una poderosa fuerza le instigaba a cerrarlos.

Repentinamente, su cuerpo se movió. Entreabrió nuevamente los párpados, certificando la misma posición anterior que solo le permitía contemplar el techo, no obstante, notó la existencia de una traslación. Tras un discurrir de paredes, su medio de locomoción se detuvo, ingresando en otro espacio diferente.

—¿Dónde me llevan? —articuló defectuosamente, sin conseguir que esas palabras fueran audibles.

Un extraño rostro se interpuso en su campo de visión, mirándole fijamente con parco talante. Los ojos de Alberto se cerraban y abrían constantemente en una lucha continua por mantener la visión. Cada vez que lograba sostener una rendija de luz, aparecía un rostro diferente, igual de insólito que el anterior.

Una delgada estructura metálica, situada en la parte superior, proyectaba borrosamente su propio reflejo. Esforzándose al máximo por ajustar el enfoque, advirtió que se sustentaba sobre una plataforma, que bien podría ser una camilla. Su cuerpo estaba oculto bajo una sábana y, justo a su izquierda, sobrevolaba una botella de suero, canalizada a través de una vía venosa colocada en el brazo del mismo lado.

—¿Qué me ha ocurrido? —preguntó Alberto, al certificar los detalles que revelaban una asistencia sanitaria.

Varias voces entreveradas disonaban, pero ninguna de ellas resolvía su petición.

—Callad un momento, creo que ha preguntado algo. —Escuchó, aliviado.

Repitió la consulta, poniendo toda su energía en vocalizar lo mejor posible, recibiendo a cambio una sorprendente noticia:

—Has tenido un accidente de tráfico.

Un extenso borrón se produjo a partir de esas palabras. El peso de los párpados se volvió insoportable.

3

Alberto despertó tumbado en una cama. Tenía la impresión de haber permanecido aletargado una década, a pesar de ello, se sentía muy cansado. Ya no experimentaba una plácida calma, notaba dolor en el tórax y en el hombro izquierdo, al tiempo que su cabeza prodigaba dolorosas punzadas.

Positivamente, comprobó que su campo visual se había extendido, pudiendo escrutar todas las direcciones. A su derecha había una amplia ventana inundando de luz el habitáculo; al frente, a través de la estrecha hendidura delineada por la puerta, se adivinaba el cuarto de baño; a la izquierda, un monitor, conectado a su cuerpo, entonaba las constantes vitales, revelándole que se encontraba en un hospital. Sus ojos se desplazaron ligeramente, advirtiendo un sofá de tres plazas, ocupado por ella, la única persona que reconoció nada más contemplarla.

Sintió una sacudida de alegría al ver su figura tan cerca. Quiso levantarse, pero no pudo; quiso hablar, pero su voz era muy débil; quiso golpear el colchón para llamar la atención, pero su puño no encontró la fuerza necesaria.

«Has tenido un accidente», irrumpió en su mente, sin recordar exactamente de dónde había llegado ese mensaje. Intentó evocar el suceso, pero le resultó imposible, siempre se estrellaba con la misma imagen.

—¡Buenos días! —enunció un señor envuelto en una bata blanca que, abriendo la puerta bruscamente, entró en la habitación—. ¿Cómo pasó la noche el paciente?

—Ha permanecido todo el tiempo durmiendo —respondió Marta, levantándose con viveza.

—¿Le importaría dejarnos solos? —demandó—. Quiero hablar con él y hacerle algunas preguntas.

Apresuradamente, Marta desalojó el cuarto, haciendo efectiva la solicitud.

—Hola, Alberto, soy el doctor Villarroya, especialista en neurología —señaló—. ¿Cómo te encuentras?

—Mareado —esbozó con una débil voz.

—Es normal, has sufrido un traumatismo craneoencefálico ocasionado en un accidente de tráfico. ¿Recuerdas ese accidente?

—No —anotó Alberto, concisamente.

—¿No recuerdas nada del mismo? —insistió el médico.

—Nada.

—Bueno, no te preocupes, es algo natural —apuntó—. ¿Qué es lo último que puedes rememorar, antes de llegar hasta aquí?

Alberto reflexionó durante un extenso periodo. Mientras tanto, el médico despegó la solapa de un vigoroso sobre y extrajo los documentos insertos. Se colocó unas lentes que portaba en el bolsillo de la bata y, con ceño fruncido, los examinó detenidamente.

—Es todo muy confuso —expresó Alberto.

Instantáneamente, el doctor Villarroya retiró la vista de los papeles que barajaba entre las manos y centró toda su atención en el paciente.

—No importa, cuéntame lo que puedas recapitular.

—Son secuencias aisladas —afirmó Alberto—. Recuerdo estar en un sitio con música muy alta… También andar esquivando a gente… Creo que era de noche. —Volvió a realizar una pausa, esforzándose lo que podía—. ¡Joder! ¡No consigo acordarme de más! —gruñó enrabietado.

—Tranquilo, no pasa nada. —Consoló el doctor.

Desmoralizado, por la imposibilidad de revivir lo ocurrido, Alberto apretó los dientes con fuerza, impidiendo la irrupción de unas lágrimas que asomaban cargadas de frustración.

—Hay otra cosa que aparece en mi mente.

—Dime qué es.

—Es una imagen grabada que visualizo continuamente, sin lograr definirla —explicó Alberto.

—¿Qué imagen?

—Una intensa luz que me deslumbra.

—¿De dónde proviene esa luz? —escrutó de nuevo el facultativo, interesado.

—Por más que lo intento, no consigo saberlo.

—Te refrescaré un poco la memoria —indicó el doctor—. Esa deslumbrante luz seguramente tiene que ver con el accidente...

—¿Cómo fue? —interrumpió Alberto, ansioso por conocer el origen del suceso.

—Se produjo una colisión con un camión.

—¿En serio?, ni siquiera recuerdo haber subido a un coche —admitió Alberto.

—Pues sí, has tenido una suerte inmensa. Es un milagro que en estos momentos estemos hablando.

—¿Podría haber muerto?

—Por supuesto, eres muy afortunado —reiteró el doctor Villarroya.

Sorprendido por las inéditas noticias, Alberto persistió callado.

El médico, levantándose de la silla que ocupaba, miró su reloj y se dispuso a abandonar el interrogatorio.

—Mañana volveré a hacerte otra visita.

—¿Me pondré bien? —instó Alberto, justo antes de que saliera.

Villarroya fluctuó concisamente, fijando la vista en el pomo de la puerta. Después, giró su circunspecto rostro y zanjó la despedida:

—Nos vemos mañana.

La puerta se cerró suavemente y, a continuación, Alberto escuchó la voz de Marta, que esperaba fuera.

—¿Está mejor, doctor?

—Padece amnesia post–traumática, caracterizada por...

—¿Ha perdido la memoria? —indagó alterada, sin dejarle terminar la frase.

—Tiene profundas lagunas en relación al accidente y los momentos previos al mismo. Si todo sigue su curso con normalidad, en los próximos días irá evocando los hechos. No obstante, tampoco debe preocuparnos demasiado ese vacío, ya que lo más importante es que recuerda perfectamente las actividades cotidianas. Además, quizás sea preferible que todavía ignore las causas. En su estado, podría resultar perjudicial.

—Comprendo —dijo Marta—. ¿Pero está fuera de peligro?

—En poco tiempo ha mostrado una evolución muy favorable. Ha recuperado la consciencia y es capaz de comunicarse verbalmente sin dificultad. De todos modos, deberá permanecer en observación al menos tres o cuatro días más. Los estudios de neuroimagen han revelado una contusión en el lóbulo temporal derecho, que en principio no reviste gravedad, aunque debemos ser cautelosos, ya que podría producirse alguna lesión secundaria —informó el médico, provocando un precipitado pánico.

—¡¿Lesión secundaria?! —Reaccionó Marta, alarmada—. ¿De qué tipo?

—Son lesiones cerebrales que pueden aparecer después del traumatismo.

Marta se puso muy nerviosa, tapando su boca con la mano y suspirando con fuerza.

—Procuro ser sincero y constatar los peligros reales —comunicó el doctor Villarroya, posando su mano sobre el hombro de Marta—. Deseamos que todo salga perfecto y haremos lo que esté en nuestras manos para conseguirlo, pero no podemos ocultar riesgos y después llevarnos una sorpresa.

Marta, sin poder desviar de su mente la posibilidad de que hubiera futuras complicaciones, arrancó a llorar.

—No se preocupe todavía, las cosas marchan bien —anunció el doctor, tratando de sosegarla—. Hay que tener confianza en que seguirán mejorando.

El chirriar de unos zapatos alejándose, reflejó que la conversación había concluido. Al rato, entró Marta con fingida sonrisa.

Aunque Alberto había escuchado todo, evitó hacer preguntas, tenía suficiente con soportar las molestias que las lesiones le provocaban. Su brazo derecho estaba inmovilizado con una escayola que se extendía hasta la axila, pero no era el brazo sino el hombro contrario, unido al tronco por medio de un aparatoso vendaje, el que continuaba emanando dolor, a pesar de los calmantes suministrados. Aun así, procuraba resistir el sufrimiento sin quejarse, ya que Marta se encargó de recordarle que debía dar gracias, porque ese dolor era el artífice de su salvación, puesto que se había dislocado el hombro por efecto del cinturón de seguridad.

Marta era la esposa de Alberto, una chica jovial y apasionada de su vida, que no soñaba más allá de lo que ya tenía. Se sentía tan afortunada que solo pedía que todo siguiera igual. Su mayor temor, posiblemente, era el cambio, o la posibilidad de que existiera un cambio que pudiera alterar su estabilidad, esa burbuja de bienestar en la que vivía junto a su marido y su hijo. Ahora se estaba dando cuenta de que ciertas cosas desagradables no solo les suceden a otros. La tragedia también le podía sacudir a ella sin esperarlo, sin merecerlo. Imprávidamente, entendió lo mismo que Alberto, una lección que nadie enseña, únicamente la vida tiene la facultad de hacerlo. Una lección que, cuando se aprende, jamás se olvida.

Desde la última conversación que había mantenido con el médico, Marta no se alejaba ni un instante de la habitación, acechando con recelo, temiendo que, de un momento a otro, Alberto sufriera algún síntoma repentino que revistiera gravedad. Experimentaba en silencio el efecto del miedo imaginario, que generalmente es peor que el real, porque la imaginación casi siempre supera los peores presagios.

Las horas transcurrían con extrema lentitud y ese era el principal alimento de su miedo, el extenso lapso que existía para pensar, para crear figuradamente aquello que no quería que sucediera.

Por su parte, Alberto, embriagado de aburrimiento, consumía este dilatado tiempo reflexionando sobre el acontecimiento que le condujo hasta el hospital, algo que resultaba frustrante y desataba impotencia. Se encontraba estancado en la resplandeciente imagen, sin poder discernirla. Una y otra vez, su memoria culminaba en un espectro similar al *flash* de una cámara fotográfica proyectándose frente a los ojos. Sabía que esa hastía luz almacenaba valiosa información que le ayudaría a reconstruir el suceso pero, por más que se esforzaba, era inútil. Un cerco asediaba la luminosa visión, impidiendo avanzar o retroceder.

—Marta, ¿cómo fue? —preguntó, harto de cavilar en balde.

—¿Qué has dicho? —Simuló no haberlo escuchado.

—¿Cómo se produjo el accidente? —reiteró Alberto, aumentando el volumen.

—El médico ha indicado que no es conveniente hablar de ello todavía.

—¡Estoy en mi derecho de saberlo! —vociferó.

—Tranquilízate, no es recomendable que te alteres.

—¡No es conveniente hablar de ello!, ¡no es recomendable que te alteres! —reprodujo Alberto con ironía—. ¿Y yo qué? ¿Acaso no cuenta mi opinión?

—¡Ya basta! ¡Se acabó el tema! —zanjó Marta con autoridad.

Alberto hizo caso a su mandato sin contradecirle. En el fondo, sabía que llevaba razón, él mismo había escuchado la recomendación del doctor Villarroya. Sin embargo, esa ingenuidad le ofuscaba, convirtiéndose en la única distracción de su mente que, sin reposar, perseguía explicaciones ocultas.

Marta estrechó sus dedos con los de Alberto, entrelazando ambas manos. Unas manos que les unía un profundo amor y todavía ignoraban que estaban cerca de soltarse.

4

Pasaron cinco días y Alberto seguía sin poder evocar los hechos relacionados con el accidente, que seguían siendo un misterio o, mejor dicho, un secreto. Al principio era una constante indagar mentalmente, escudriñando en su cerebro cualquier rastro que le condujera hacia lo acontecido, buscando dentro las respuestas que no encontraba fuera, ya que seguía prevaleciendo el mutismo a su alrededor. Más tarde, ante la imposibilidad de recordar y el pacto silencioso que le rodeaba, se fue relajando y dejó pasar el tiempo, con el único anhelo de esperar la noticia que ese día recibiría.

A las dos de la tarde, en el horario habitual, entró en la habitación el doctor Villarroya.

—¿Cómo va todo? —preguntó, aproximándose a la cama.

—Con un poco de jaqueca, pero bien.

—Pide a la enfermera un analgésico si persiste el dolor —indicó—. Por lo demás, las cosas no pueden marchar mejor. Ya han transcurrido varios días desde el traumatismo, sin presentarse secuelas.

Simulando cierta desidia, Alberto escuchaba su explicación sin perder detalle.

—¿Te gustaría regresar a casa? —tanteó.

—¡Claro! —afirmó Alberto, quien no podía imaginar esa codiciada proposición que, instantáneamente, logró recobrar su ánimo.

Como por arte de magia, las molestias se esfumaron de su cabeza, aguardando impaciente el veredicto final del doctor.

—Pues si no existe ninguna contrariedad de última hora, hoy pasarás la noche aquí y mañana recibirás el alta hospitalaria.

Con ansiedad, porque avanzara el tiempo lo más rápidamente posible, Alberto disipó la tarde entreteniéndose haciendo crucigramas en una revista, zapeando con el mando de la tele y atendiendo a las últimas visitas de familiares que se interesaron por él. Estas visitas fueron bastante controladas, en general durante todo el ingreso, y se produjeron a partir del tercer día, siendo muy breves para no incomodarle ni crearle perjuicio. Aun así, el goteo de familiares y amigos resultó elevado, sin embargo, hubo una especial figura que Alberto echó de menos.

«No querrá molestar y esperará a verme cuando esté en casa», pensó, sin darle mayor importancia.

Nada más terminar la cena, se acomodó para dormir, con mucha más antelación que los días previos, como un niño que al día siguiente espera a los Reyes Magos y delibera que cuanto antes se acueste antes llegarán los regalos.

Después de pasar la noche en vela, producto del nerviosismo, a las ocho de la mañana, en el único momento en el que disfrutaba de un sueño profundo, entró la enfermera portando una bandeja con el desayuno.

—Enhorabuena, que me han dicho que nos abandonas.

—Así es —confirmó Alberto, sonriente.

Engulló el desayuno en apenas diez minutos y, con la ayuda de Marta, recogió su ropa y enseres que tenía en la habitación, aguardando, sentado en el sofá, la llegada del doctor Villarroya.

La espera se prolongó hasta las doce del mediodía. Como de costumbre, sin llamar y empujando la puerta enérgicamente, hizo acto de presencia el médico para confirmar que, de acuerdo con lo previsto, Alberto recibía el alta.

—Recuerda que no te puedes ir a bailar todavía —indicó Villarroya, en un tono desenfrenado, poco frecuente en él—. Deberás guardar reposo y comenzar la rehabilitación en unos días.

—Sí, lo sé.

—Entonces, nos vemos en unas semanas para la revisión —finalizó, despidiéndose con un apretón de manos.

Un taxi les recogió en la puerta del hospital para trasladarles hasta el ansiado hogar, donde Alberto pudo disfrutar de la segunda alegría del día, puesto que yo le estaba esperando. Hablábamos a diario por teléfono, aunque habían preferido que no lo visitara, de ahí que el encuentro fuera muy emotivo. Alberto me abrazó, haciendo un esfuerzo por apretarme todo lo que sus diezmadas fuerzas le permitían, mientras besaba mi cabeza repetidas veces.

—¡Papá, eres el hombre de acero! —le grité.

—No te creas, estoy hecho una birria, Álex —me respondió, sonriendo.

Alberto estaba muy contento de volver por fin a casa, aunque se encontraba extremadamente cansado, había sido una travesía agotadora en su estado. El simple hecho de bajar desde la planta en la que se encontraba hasta la calle y después recorrer los escasos metros que distaban desde el taxi hasta su domicilio, constituyeron una dura prueba física para él.

Permaneció la tarde entera tendido en su cama, aunque no pudo concebir el sueño, y simplemente se limitó a reflexionar sobre el profundo vuelco que había cursado su vida en un abrir y cerrar de ojos.

Según el doctor Villarroya, nueve de cada diez sujetos, que sufren un impacto frontal en circunstancias similares a las acaecidas, se topan con la muerte o con graves secuelas irreversibles. Sin embargo, él tenía el número agraciado para salvarse.

Agradecido y afortunado se suponía que debería encontrarse, en cambio, la imposibilidad de conocer el relato vivido evitaba que emanara esos sentimientos, puesto que realmente ignoraba los hechos.

Es cierto que, mentalmente, estaba empezando a ubicar algunas piezas del puzle, aunque seguía siendo desordenado y con muchos huecos por cubrir. Había añadido un nuevo ingrediente a su memoria en forma de voz cercana, que le hablaba de manera imprecisa, sin lograr identificar su origen ni descifrar el contenido de las palabras que procedían de esa voz. Posteriormente, el recuerdo volvía a estrellarse en la misma imagen de un foco de luz apuntando directo a sus ojos. Ese seguía constituyendo su último recuerdo antes de despertar en una camilla.

Yo sí conocía la verdad que mi padre buscaba, sabía el preciado secreto..., que pronto dejaría de serlo.

—Mamá, ¿se lo has contado ya a papá? —pregunté con un volumen elevado, sin percatarme de que ya no éramos solo dos personas en casa.

—Shhh —chistó rápidamente Marta—, él piensa que iba solo en el coche —susurró.

Un susurro que fue escuchado por Alberto, noqueándolo de forma fulminante. Ese indicio le dio la combinación y le hizo presagiar una sospecha que hasta ahora no había surcado su cabeza, posiblemente por pavor a que fuera cierta.

Súbitamente se levantó de la cama y salió de la habitación con un destino fijo. Avanzó mucho más rápido de lo que lo había hecho por la mañana, movido por una energía repentina que le invadía y le obligaba a progresar, ansioso de desvelar, por sí mismo, el misterio. Parecía que estaba jugando a la búsqueda del tesoro, llevándole cada pista al siguiente nivel, hasta que, finalmente, encontrara ese tesoro en forma de solución.

Cuando por fin llegó al garaje, comprobó que la pista que buscaba era demasiado elocuente, tanto que únicamente le faltaba por desvelar una pregunta: ¿quién?

Esta vez no iba a seguir jugando, quería resolverlo inmediatamente.

Una incontrolada convulsión se apropió de mi padre, nublando su visión, asfixiándole el pecho y estremeciendo todo su cuerpo. Procurando contar los peldaños para serenarse, subió lentamente las escaleras que conducían hasta el salón donde se encontraba su familia.

Directamente, sin preámbulos, jadeando a consecuencia del esfuerzo, lanzó la pregunta que necesitaba:

—¿Quién conducía?

Mi madre y yo nos miramos, desconcertados por esa irrupción inesperada y, sobre todo, por una interrogante para la que no estábamos preparados.

—¿A qué te refieres? —consultó Marta, haciéndose la despistada.

—Sabes perfectamente a lo que me refiero —sentenció Alberto, elevando la voz—. Vengo del garaje y he visto mi coche aparcado en perfecto estado, por tanto, dime con quién fue el accidente.

Justo cuando pronunció esas palabras, Alberto consiguió la conexión que faltaba en su cerebro, y reconoció la procedencia de esa voz confusa que no acertaba a discernir.

—¿Por qué no fue a verme al hospital? —inquirió sin vacilar.

Silencio obtuvo por respuesta.

—¿Quién conducía? —Volvió a disparar, buscando una réplica que empezaba a esclarecerse por sí sola. El silencio volvió a imperar y el juego terminó. Ese silencio solventó el enigma y no hicieron falta palabras para que las dos preguntas fueran resueltas.

5

El tiempo no curó las heridas, sino que las hizo más grandes, no solo para Alberto, también para mí, que sufrí los daños colaterales de ser hijo de un padre que siempre estaba ausente, incluso cuando se encontraba presente.

Desde el accidente su conducta cambió radicalmente. Todo el mundo decía que había vuelto a nacer el día que le dieron el alta médica, aunque yo siempre me pregunté si realmente nació otra persona distinta.

Al principio, me costaba hacerme a la idea de que ya no era él y lo buscaba incesantemente, mientras mi padre prefería estar solo. Más tarde, fui yo el que prefería la soledad, a la que me fui acostumbrando, hasta el punto de necesitarla y aferrarme a ella como mejor compañera.

Fue algo paulatino, inicialmente la rechazaba, me asustaba y demandaba una atención que no era correspondida. Unas veces «ahora no puedo», otras veces «dentro de un rato» —que por supuesto no llegaba—. «Estoy trabajando», cuando trabajaba, y «estoy cansado», cuando no trabajaba.

Siempre había una excusa para postergar el momento, convirtiéndose finalmente en una sucesión de «no momentos»: no momento para jugar, no momento para dar un paseo, no momento para ver una película juntos, no momento para escuchar.

Al comienzo, estos no momentos eran padre–hijo, pero progresivamente mi madre fue agregando más y más fijación en su marido, dejándome a mí en segundo lugar. No porque no le interesara o porque no quisiera dedicar su tiempo conmigo, sino porque Alberto cada vez absorbía más atención, estaba muy preocupada por él, lo veía apagado, cabizbajo y sin ánimo, por lo que requería esos momentos que yo no tenía. No la culpé, lo único que hizo fue priorizar y volcarse en quien creía que más lo necesitaba, suspirando porque pronto las cosas se restablecieran. Entretanto, sentí que era invisible y solamente mis padres se acordaban de mí a la hora de cada comida.

Dicen que la inteligencia depende de la capacidad de adaptación, posiblemente por eso los niños son tan inteligentes, porque pueden adaptarse a cualquier contexto, algo que no sucede con la mayoría de los adultos. Yo supe aceptar y adaptarme a la nueva realidad, mi padre no logró ni una cosa ni otra.

Para poder aceptar un hecho, primero tienes que ser consciente de que no se puede alterar, por mucho que te esfuerces, tienes que comprender que castigarte es inútil, que imaginar otro final distinto es solo una quimera que puede causar dolor y un perjuicio mayor. Mi padre sí tenía este conocimiento, sabía que no podía hacer nada por cambiarlo…, aun así no lo aceptó.

Yo, sin embargo, aunque todavía podía seguir luchando y buscar los medios para que la situación cambiara, preferí ceder y asumirla. No creo que me rindiera, simplemente renuncié a seguir peleando día tras día, esperando unos resultados que estaban fuera de mi control, o al menos eso creía entonces.

Una vez que aparté las resistencias y acepté la soledad, se acabaron las dudas, el miedo y la incertidumbre. Podía hacer todo lo que me placía sin dar explicaciones, y eso no estaba tan mal, al fin y al cabo es lo que venía haciendo mi padre durante meses y conseguía que Marta no se apartara de él.

Por eso, decidí convertirme en víctima yo también, así mi actitud estaba siempre justificada, sobre todo porque tenía déficit en habilidades sociales y posible trastorno depresivo, como decía mi psicólogo. Al principio me asustó este diagnóstico, aunque poco a poco le fui sacando partido y comprobé que tenía muchas ventajas, ya que conseguía la deseada atención, encontrando siempre comprensión en los demás. Todas las acciones estaban argumentadas, no había reproches ni castigos, ya que no dependía de mí, puesto que respondía a una causa externa que afectaba a mi personalidad, por lo que daba igual lo que hiciera, no era responsable de nada. Si no quería estudiar, alegaba que no me encontraba bien; si después suspendía, no se me podía culpar, porque no había podido estudiar; si prefería permanecer en mi habitación jugando a la videoconsola, estaba permitido porque necesitaba distraerme; si no me apetecía levantarme, podía quedarme durante la mañana durmiendo sin ir al instituto, pues estaba deprimido; si no me interesaba hablar, no hablaba; si no me gustaba la cena, tomaba galletas y chocolate... Sentía que tenía el poder mágico de hacer lo que me diera la gana. Sin duda, ser víctima tenía premio.

De quien aprendí la fórmula del victimismo —aunque yo la perfeccioné— fue de mi padre. Inicialmente caí en la red y sentía mucha pena al observarlo tan apocado, sin levantarse del sofá ni siquiera para comer. Durante los dos primeros meses no lo vi sonreír ni una sola vez..., tampoco llorar. Se guardaba la tristeza en su interior y, desde fuera, únicamente podíamos apreciar un rostro incapaz de mostrar sentimientos, solo sobriedad.

Intentaba no contrariarle en lo más mínimo, ni siquiera pedirle ayuda. Si necesitaba algo, recurría a mi madre, que tenía una energía fuera de lo común y la habilidad para estar en todas partes al mismo tiempo: haciendo la comida, limpiando la casa, animando a mi padre, ayudándome con los deberes, controlando la medicación de ansiolíticos que su marido requería, acompañándome a las actividades extraescolares, haciendo la compra... Cuando llegaba la noche, en el único momento que tenía para ella, metía su cabeza bajo las sábanas, para no hacer ruido, y las lágrimas emergían de forma automática, como si hubieran estado todo el día aguardando ese instante y ya no pudieran aguantar más.

Ahora me pregunto algo que entonces no supe ver: ¿quién era la víctima realmente?

6

Alberto no volvió a hablar del accidente, a pesar de que, con el paso de los meses, fue recuperando la memoria y ya recordaba cómo fue. No solo sabía quién conducía y por qué no había ido a visitarlo al hospital, también lo que aconteció aquella noche.

Ese imborrable doce de Julio de 2019, sobre las ocho de la tarde, mi padre salió de un lujoso hotel de cinco estrellas de la capital madrileña, no porque se encontrara alojado, sino porque era el gerente y trabajaba en sus oficinas durante su extensa jornada laboral.

Como de costumbre, cuando terminaba a esas horas, se encontraba cansado y lo único que le apetecía era llegar a casa, una cálida ducha, cenar y ver alguna serie de Netflix antes de acostarse. Pero ese día tenía un evento especial al que no debía faltar. Cogió el metro que le conectaba directamente con Fuencarral y se presentó en el mismo garito del pasado año, o podría decirse de casi todos los años para esa misma fecha. No le gustaba nada, más que un *pub* era un antro, repleto de gente, con camisetas negras, que consumía cerveza en enormes vasos de plástico. Algo que contrastaba claramente con su pulcro traje, que no pasaba desapercibido en aquel lugar.

Era el sitio preferido de Toni, que también le gustaba beber cerveza en vaso de plástico, las camisetas negras *heavies* y escuchar el atronador sonido que salía de los altavoces.

Toni y Alberto, a pesar de ser hermanos, eran totalmente opuestos en su forma de ser y gustos. Para Alberto lo más importante era el trabajo y su familia, en cambio, las prioridades de Toni eran la música, los viajes y el esparcimiento.

Generalmente no se veían mucho, aunque los dos vivían en la Comunidad de Madrid y un tren de cercanías les podía juntar en poco más de treinta minutos, Alberto creía que la vida no le daba para más, porque tenía trabajo, mujer e hijo…, y su día solo duraba veinticuatro horas —no como el del resto de los humanos—. Por tanto, los encuentros se reducían a Nochebuena, que la seguían pasando en casa de su madre, una semana veraniega que compartían en un apartamento en la playa, algún café puntual y el acontecimiento sagrado que hoy les ocupaba: el cumpleaños de Toni.

Cumplía cuarenta años, solo dos menos que Alberto. La pequeña diferencia de edad existente entre ambos hizo que fueran amigos desde pequeños, contando con la misma pandilla infantil. Pasaban veranos enteros —del primer al último día de vacaciones escolares— en el pueblo de su padre, situado en una localidad conquense, a noventa y cinco kilómetros de Madrid.

En una época en la que no existían móviles ni *tablets*, la imaginación era la que orquestaba cada día, unos días que sí parecían durar más de veinticuatro horas para Alberto, donde todas las actividades tenían cabida.

Desde las diez de la mañana hasta las dos de la tarde y desde las cuatro de la tarde hasta las diez de la noche, sin parar ni un solo minuto de crear. Con su bicicleta recorrían el pueblo de arriba-abajo, como medio de transporte imprescindible —tampoco había patinetes eléctricos—, explorando hasta el más recóndito rincón.

Lo mismo hacían una cabaña en el monte que se iban a una charca a coger renacuajos, metiéndolos en un cubo, para presenciar a lo largo del verano el proceso de la metamorfosis. Cazar gorriones con el rifle, jugar al *tocatimbres*, subirse a los árboles más altos, bañarse en un embalse, hacer fogatas en el campo, fumar los primeros cigarrillos en la desierta plaza de toros o esconderse en un pinar por la noche, aguardando a que llegara algún coche de enamorados para verlos en acción, fueron faenas que siempre hicieron juntos, en una etapa en la que creyeron ser los mejores hermanos del mundo.

De eso hacía ya demasiado tiempo y, aunque el recuerdo de esos momentos vividos persistía, lo cierto es que cada uno fue evolucionando de manera distinta con los años y, cuando se hicieron adultos, tenían más en común un pepino y un huevo que ellos dos. Su relación, más distante, no era la misma de la infancia, como sucede con la mayoría de hermanos, aunque se seguían queriendo muchísimo, como también sucede con la mayoría de hermanos.

Mi padre, nada más verlo, le dio un fuerte abrazo, con una prolongación de baile-abrazo al ritmo musical que sonaba en el local.

—¡Una cerveza grande para mi hermanito! —gritó Toni al camarero.

—¡Sin alcohol! —aclaró Alberto—, profiriendo en voz alta.

Toni lo miró decepcionado por solicitar algo que percibía como un perjurio de la diversión, en un día importante para él.

—¿En serio? —tanteó incrédulo—. ¿Te vas a pedir una jodida cerveza sin alcohol en mi cumple?

Alberto llevaba unos meses haciendo dieta para bajar algunos kilos que le sobraban y uno de los ingredientes prohibidos era el alcohol. Explicarle esto habría supuesto la resistencia de Toni hacia algo que, posiblemente, no considerara un motivo suficiente, por lo que mi padre prefirió recurrir al viejo truco de los medicamentos para justificarse.

—Estoy con la dichosa alergia tomando antihistamínicos y no puedo beber alcohol.

—Vaya rollo —aportó Toni como comentario comprensivo.

La noche fue avanzando y Alberto logró animarse relativamente, uniéndose a las risas y diversión que fueron en aumento gradual, hasta que llegó un punto en el que la fatiga hizo mella y comenzó a experimentar la sensación del «fuera de juego», que se produce cuando todos están ebrios menos uno mismo y crees que ya no aportas nada al grupo, atisbando la retirada como mejor opción. Llegado ese momento, tenía dos alternativas: marcharse despidiéndose o sin despedirse.

Ambas elecciones tenían pros y contras. Si se despedía, era más que predecible que no le dejarían irse fácilmente, insistiéndole en tomar solo una copa más; si decía que iba al baño y ya no regresaba, se ahorraba una lucha considerable para conseguir lo que le apetecía.

Finalmente, escogió la primera disyuntiva, le supo mal no despedirse de su hermano en su cumpleaños. La respuesta fue diferente a la prevista.

—Sí, yo también me voy ya —indicó Toni, contra pronóstico—. Mañana tengo cita con el dentista a las once. No quiero llegar directamente —añadió sonriendo.

—¿Un sábado?

—Sí, tío, me ha hecho un favor, por eso no puedo cancelarlo.

—Madre mía, pues vas a tumbar al dentista con tu aliento. —Bromeó Alberto.

El ambiente en el local había decaído bastante y eran prácticamente los cumpleañeros los únicos que sostenían el negocio.

—Te llevo a tu casa —dijo Toni.

—¿Me estás diciendo que has venido en coche y te piensas volver también en coche?

—La última cerveza me la bebí hace más de una hora..., ahora mismo voy bien.

—Olvídalo, pido un taxi y mañana lo recoges —expuso Alberto.

—¡¿Pero qué dices?! No tengo otra cosa que hacer que venir aquí mañana a recoger mi coche.

Aunque los tiempos más fiesteros de Toni ya eran historia y ahora solo ocurría de forma esporádica, si existía algún evento que lo justificara, lo cierto es que cuando salía y se excedía un poco con el alcohol, su terquedad se incrementaba, por lo que Alberto sabía que sería difícil convencerlo.

—Está bien, pues vamos con tu coche, pero conduzco yo —propuso Alberto.

—No hace falta, en serio.

—Qué más te da, te llevo primero a tu casa y después continúo hasta la mía.

—Pero mañana lo necesito para ir al dentista —resaltó Toni.

—Vale, pues te recojo a las diez y te acompaño al dentista —dijo Alberto—. Y si quieres, a la salida, te invito a un aperitivo en algún bar y vemos al Atleti, que juega a las doce.

El plan fue lo suficiente sugerente como para que Toni lo rechazara. Del bolsillo de su pantalón sacó la llave de su viejo Seat Ibiza y se la entregó a su hermano, sin oponerse ni plantear ninguna objeción, la dejó sumisamente en su mano, ignorando que en esa mano no solo estaba depositando una llave, también una vida.

7

Alberto y Toni caminaron hasta el *parking* en el que se encontraba aparcado el coche. Toni comprobó la hora en la pantalla de su nuevo móvil, que mi padre le había regalado de cumpleaños. Las tres y media de la madrugada.

—¿Te gusta el regalo? —preguntó Alberto.

—Claro que me gusta, aunque demasiado caro —respondió Toni.

—No te he dicho el precio.

—Ya, pero me lo imagino.

Una vez localizado el coche, entraron al mismo, ocupando cada uno su asiento, de acuerdo con lo pactado. Alberto se abrochó el cinturón de seguridad, ajustó el espejo retrovisor y arrancó el motor, emprendiendo la marcha.

—¿Por qué me has hecho ese regalo? —indagó Toni.

—Porque he querido, cuarenta años no se cumplen todos los días —repuso Alberto.

Lo que desconocía Toni, en ese momento, es que en su casa le aguardaba, dentro de un sobre, un regalo mucho más especial.

—Piensas que eres mejor que yo, ¿verdad? —Sorprendió Toni, asestando una inquisidora acusación.

—¿Qué? ¿A qué viene eso? ¡Claro que no! —negó Alberto, que no entendía esa afirmación.

Toni demoró su contestación, manteniéndose pensativo, para continuar con la misma línea argumental.

—En realidad no hace falta que lo pienses, eres mucho mejor que yo, siempre lo has sido —admitió.

Alberto, comprobando la inesperada reacción de su hermano, dudó acerca de si había sido buena idea el segundo regalo que se encontraría Toni al llegar a su casa, un sobre que contenía, en la cabecera del mismo, el mensaje: «tendrás que compartir ese amor conmigo».

—Eso es una tontería, cada uno es como es, ni mejor ni peor —explicó Alberto.

—Tienes un trabajo cojonudo, una familia fantástica, llevas un traje de mil pavos..., ¿y yo? Mírame a mí. Toda la vida igual... Cuarenta tacos y todavía sigo viviendo con mi madre.

—Toni, no seas duro contigo mismo, mi vida no es mejor que la tuya, solo distinta.

—Siempre has sido el hermano listo, el responsable, el perfecto. Yo, sin embargo, soy el inmaduro, la bala perdida.

—¡Vamos Toni! Eso no es así —indicó Alberto—. No tienes por qué compararte conmigo ni con nadie.

—Para ti es fácil decirlo porque lo tienes todo, has tenido la suerte de conseguir aquello que querías.

Mi padre sabía que la naciente conducta obstinada de Toni se debía a los efectos del alcohol. No solían discutir y, cuando lo hacían, el enojo duraba minutos, por eso, aunque lo inteligente habría sido no molestarse en defenderse, el hecho de que aludiera a la suerte como la artífice de sus logros, no le agradó a Alberto, al considerarlo un juicio injusto.

—¿Piensas que ha sido suerte? —tanteó Alberto—. Me he esforzado mucho para conseguir lo que tengo, nadie me lo ha regalado, pero no creas que es tan bonito como supones.

Mi padre se acaloró en su exposición, llegando a pronunciar unas palabras que le acompañarían mucho tiempo:

—No me cuentes historias... Si no te gusta tu vida, ¡cámbiala!

Esa fue la última frase que se escuchó en el coche, quizá porque Toni no pretendía discutir más, tal vez porque constató que Alberto tenía razón o, probablemente, como descubrí años después, porque realmente ese cambio de vida ya se encontraba en proceso. Lo cierto es que esa constituyó la rúbrica final, posteriormente le sucedió el silencio.

El silencio siempre es buen compañero de viaje, salvo cuando el sopor te acecha. Alberto se había levantado a las siete de la mañana, sumando, por tanto, veintiuna horas despierto. Quedaban unos diez minutos de trayecto hasta la primera parada, para dejar a su hermano, sería fácil aguantar, aunque sus párpados le estuvieran advirtiendo que ya no podían más, solo restaba atravesar la avenida y en seguida habrían llegado.

—¡El camión! —gritó Toni.

Alberto despertó súbitamente, comprobando que se encontraba en el carril contrario.

Escuchó el potente claxon del camión, junto a las fulgurantes luces encandilando sus ojos. Un aluvión de pensamientos se desencadenaron: «frena, gira, ¿volantazo a la derecha o mejor a la izquierda?, cúbrete con las manos, ¡mierda!, ¡nooo!». La mente es extremadamente veloz para pensar, aunque no tanto para actuar.

Se produjo un ruido ensordecedor y de nuevo silencio, profunda paz.

Ambos descubrieron, en ese fugaz intervalo, que no se necesitan años para cambiar, un segundo puede decidir el resto de tu vida.

8

La envidia entre Alberto y Toni, paradójicamente, era mutua, dos vidas totalmente opuestas y cada uno suspiraba por lo que tenía el otro. Como le sucedió a Alberto después del accidente, que habría preferido ocupar su puesto.

«Si no te gusta tu vida, cámbiala», fraguó la despedida entre ambos hermanos.

Lo que Toni no llegó a saber es que la vida de Alberto no era tan perfecta como él creía, que muchos matices tampoco le gustaban y anhelaba mutarlos, pero no era sencillo para alguien que siempre había cumplido las expectativas de los demás e interpretaba el papel que se esperaba de él, sin preguntarse jamás, a sí mismo, qué papel deseaba interpretar.

Estudió Económicas, como quería su madre; no le gustaba su trabajo, pero no podía rechazarlo porque tenía un buen sueldo y sus jefes estaban orgullosos de él; tuvo un hijo, no porque quisiera ser padre sino porque su esposa quería ser madre... Ni siquiera escogió su equipo de fútbol, su padre se encargó de vestirlo de blanco desde niño para llevarlo al Bernabéu.

La mayoría de los lances de su vida habían sido elegidos por los demás, salvo uno muy importante: la mujer que amaba. Estar con Marta fue la única decisión que tuvo clara desde que la conoció y se habría opuesto a cualquiera que le dijera lo contrario.

Toni también se quedó sin saber que, totalmente en contra de lo que él pensaba, Alberto lo admiraba en muchos aspectos, especialmente su libertad. Es cierto que vivía en casa de su madre, que sus nóminas eran intermitentes, al igual que sus episodios amorosos, sin embargo era libre. No tenía que cumplir unas exigentes expectativas, solo aquello que le apetecía: quedaba con sus amigos, hacía ejercicio, tenía su grupillo de música, colaboraba como voluntario en una ONG y frecuentemente disfrutaba de lo que Alberto más envidiaba..., viajar y conocer mundo.

Hay quien piensa que para viajar se necesita bastante dinero, pero no tiene por qué. Para mi padre el dinero no era un problema, no obstante, le faltaban tiempo y coraje, que son los principales ingredientes que reunía un viajero innato como Toni, quien apenas tenía dinero, pero le sobraba valentía para cargar la mochila a su espalda y embarcarse en largas travesías recorriendo Asia, América o África, que eran sus continentes favoritos. Con unos cuantos euros en el bolsillo y su inglés de andar por casa, se las apañaba para sobrevivir varios meses surcando países lejanos. Dormía en albergues o en casas de personas que conocía en el camino, hacía *autostop* o se alquilaba una moto y se movía a su aire, sin miedo, sin planes, sin prisa.

En cambio, Alberto dormía asiduamente en hoteles de cinco estrellas por negocios, aunque lo más lejos que había llegado era a Mikonos en su luna de miel.

Mi padre, de forma secreta, soñaba con viajar. Cada vez que Toni le contaba sus vivencias y le enseñaba fotos que parecían irreales, sentía esa pelusa interna que mi tío jamás supo. A Alberto le habría encantado poder realizar algún viaje junto a él, echarse también la mochila a la espalda y volar a miles de kilómetros para conocer los Himalaya, bucear en el mar Rojo, ver un amanecer en los templos de Angkor o degustar comida callejera en Tailandia.

Pero no lo hizo y tampoco lo haría ya, a pesar de que estuvo a punto de cumplir este sueño.

Uno de los lugares que más atraía a mi padre era el Taj Mahal, había visto centenares de fotos desde todos los ángulos, le apasionaba tanto la construcción como la ambiciosa historia que contenía detrás. Veinte mil personas trabajando día y noche durante veintidós años para satisfacer el deseo de una sola persona, para que Mumtaz Mahal, esposa del emperador, que falleció en el parto de su decimocuarto hijo, tuviera la tumba más bella del mundo. Cuenta la leyenda que al terminar su construcción, el emperador ordenó cortar las manos de los principales arquitectos y obreros para que no pudieran realizar ninguna réplica ni crear otra obra de esta magnitud.

«¡Es alucinante!», le contaba Toni. «Te aseguro que tiene un poder hipnótico y no puedes apartar tu mirada de ese monumento», solía decirle.

Toni había visitado las siete maravillas de la humanidad, escogiendo esta como su favorita. Fue precisamente ese entusiasmo y fascinación que contenían las palabras de Toni, cada vez que hablaba del Taj Mahal, lo que despertó esa curiosidad en Alberto e hizo que se convirtiera en su punto de mira.

«Basta un simple vistazo a este edificio para que se produzca el flechazo», argumentaba, despertando el interés de mi padre.

El recorrido por India fue uno de los primeros grandes viajes que realizó Toni, hacía ya quince años, y también uno de los que más le marcaron. A menudo comentaba que le encantaría regresar algún día, que quería volver a experimentar ese amor que sintió por el Taj Mahal.

Como a casi todos los asiduos viajeros, a Toni solían hacerle dos preguntas estrellas. «¿Cuál es el sitio que más te ha gustado?», era la primera de ellas, a lo que respondía con otra graciosa pregunta: «¿Qué te gusta más el chorizo o el chocolate?». Puesto que, según él, no se podían comparar bellezas distintas, no era comparable el desierto con un glaciar o una montaña con un templo...., cada cosa tenía su encanto propio.

La otra interrogante era «¿a qué sitio te gustaría regresar?». En este caso, sí tenía clara la respuesta: a la India.

Por esa razón, se hicieron aquella promesa:

—Un día tenemos que ir juntos —le dijo Toni.

—Sí, me encantaría.

—Promételo.

—Lo prometo —indicó Alberto, acreditando que las promesas son fáciles de pronunciar.

Una lágrima resbaló por la mejilla de mi padre, porque sabía que no sería posible. Del interior de su chaqueta extrajo el sobre que le iba a regalar en su último cumpleaños, un regalo que Toni no llegó a abrir, que no solo no pudo disfrutar, sino tampoco conocer.

Con pesar, Alberto rasgó ese sobre convirtiéndolo en pedazos que acabaron en el mismo cubo que su sueño.

La rabia le reconcomía, conforme despedazaba esos papeles, porque su hermano partió, en su viaje final, sin haberlo aplastado antes entre sus brazos, sin haberle dicho que alababa su valentía, que las acciones tienen más valor que las intenciones y que el éxito es hacer lo que sientes, no lo que se espera de ti.

En el cubo de la basura quedaron los restos de dos billetes de avión Madrid - Delhi, que ya no llegarían a su destino.

9

La culpa le atormentó a mi padre notablemente, sobre todo al principio, una culpa que al igual que las palabras que no le dedicó a Toni, también se la guardó en su interior.

Casi todas las mañanas se despertaba sobresaltado con la imagen de esa potente luz cegando sus ojos y, una vez en pie, se daba cuenta de que realmente era cierto, que esa luz existió y que la pesadilla no acababa, sino que empezaba.

Se empeñaba en formular la pregunta equivocada: ¿por qué?... ¿Por qué Toni y no él?, ¿por qué tuvo que pasar?, ¿por qué cedieron sus ojos?, ¿por qué no supo reaccionar en ese segundo?... ¿Por qué?

Una pregunta que carecía de respuesta, por más que realizara distintas combinaciones, no hallaba explicación a sus cuestionamientos y solo servía para alimentar el dolor, algo que, aunque pueda resultar incongruente, lo aliviaba. Formaba parte del rol victimista que adoptó, una forma de cargar con el sufrimiento y la penitencia de haber sido el homicida de su hermano.

¿Por qué no le dejé conducir?, ¿por qué no llamé a un taxi?, ¿por qué cogí el maldito coche?... Continuaba la ristra de porqués, sabiendo que incluso encontrando las respuestas, tampoco cambiarían nada, Toni no regresaría, no podía ocupar su lugar, no podía alterar los hechos, no podía rebobinar e invertir el final.

Solo constituía una forma de castigarse interiormente, que realmente era el objetivo, pagar esa condena que pensaba que merecía.

Alberto no compartía este reconcome con nadie, ni siquiera con su esposa, aunque esta solo necesitaba atisbar su cara descompuesta para visualizar su interior.

«No fue culpa tuya», le decía a menudo Marta.

Mi padre no respondía o cambiaba de tema, no le interesaba que le convencieran de lo contrario, prefería continuar purgando su personal pena.

«Hiciste lo correcto, actuaste con la mejor intención, solo fue un accidente», trataba de consolarlo Marta, con unas palabras estériles que Alberto no escuchaba. Para él no fue solo un accidente, sino un error imperdonable en el que pretendió salvarlo y logró destruirlo.

Al tercer mes, desde que le dieron el alta, ya estaba físicamente recuperado, estuvo asistiendo a rehabilitación un buen número de sesiones y consiguió recobrar toda la movilidad perdida, se había roto tres huesos en el accidente, además del traumatismo craneoencefálico que le había borrado determinados recuerdos y fue evocando progresivamente, a pesar de que algunos de ellos hubiera preferido eliminarlos permanentemente de su cerebro.

Comenzó a trabajar de nuevo y no fue poco a poco, sino mucho más que antes, parecía que tuviera que recuperar su inactividad. No se debió a que la empresa se lo demandara, al contrario, sino porque Alberto sabía que cuanto más tiempo tenía para pensar, más nocivos eran sus pensamientos, por lo que el trabajo se convirtió en una vía de escape, en su refugio.

Anímicamente mejoró bastante con su retorno al mundo laboral, o al menos es lo que su rostro reflejaba, puesto que seguía sin exteriorizar verbalmente sus sentimientos. Por un lado, era alentador que hubiera abandonado el sofá y la manta que le acompañaban fielmente a lo largo de su convalecencia pero, por otro lado, su fijación por el trabajo convirtió la ausencia en la norma, muchas veces se quedaba a dormir en el hotel y no regresaba a casa. Al final, esa entrega y dedicación constante, encontró el reconocimiento de la empresa, ascendiéndolo a *manager* general de la cadena hotelera, ya no solo regía un hotel en Madrid, sino que se convirtió en el director de los distintos hoteles que pertenecían a la cadena en España, haciendo funciones de supervisión en cada uno de ellos. Esto supuso mayor prestigio, mayor sueldo y también mayor distancia entre nosotros.

No era únicamente yo quien sentía la soledad, mi madre cada vez la experimentó más, con una gran diferencia: yo la soportaba, ella no.

Marta aparentaba fortaleza cuando estaba junto a mí, derrumbándose por las noches, bajo las sábanas, emitiendo unos sollozos que cada vez eran más difíciles de ocultar, especialmente cuando el contiguo hueco de la cama se encontraba vacío. Yo escuchaba detrás de la puerta, tentado por abrirla y abrazarla, consolarla y decirle que no estaba sola..., pero no lo hice. Realmente no sé por qué no alivié su pena de una forma tan sencilla, y lo cierto es que no fui capaz de impedir esos lamentos ni una vez.

En lo que respecta a mí, me fui incomunicando de forma progresiva, me encerraba en mi habitación, en mi mundo, y pensaba que no necesitaba nada ni nadie para sobrevivir. Me bastaba con mi videoconsola y mi móvil para estar conectado con la engañosa realidad.

En el instituto las cosas empeoraban a un ritmo acelerado, ya que el aislamiento social que adopté no fue entendido por algunos líderes autoritarios que, desde su corta mentalidad, no atisbaban que prefiriera ir por libre. Si no pertenecía a algún grupo me convertía en el raro de la clase y eso tenía nefastas consecuencias. Desde mi perspectiva, no comprendía que si casi no hablaba, no me metía con nadie y prácticamente mi presencia era testimonial, pudiera convertirme en el centro de atención de esos líderes de la clase, a quienes les molestaba mi indiferencia y no soportaban que no fuera detrás de ellos riendo sus gracias y aplaudiendo sus memeces.

El principal escollo era un tal Piqueras, que más tonto no podía ser. No aprobaba ni el recreo y tenía la inteligencia justa para pasar la mañana. A pesar de sus cualidades, todos lo respetaban, o quizá le temían, ya que sus noventa kilos, dentro de un cuerpo de trece años, le otorgaban la dimensión de una mole difícil de derribar.

«¿Qué pasa Álex?, ¿es que estás mudo?», pronunciaba cada vez que pasaba por mi lado en el recreo.

Me daban ganas de contestarle que no hablaba con idiotas, sin embargo, el silencio seguía siendo mi mejor arma.

«¿Es que te ha comido la lengua el gato?», decía mientras el frecuente público que le acompañaba apoyaba la gracia con sus carcajadas.

Habitualmente, la sesión terminaba en cinco minutos, después de varias sandeces sin respuesta, se marchaba con algún insulto o una colleja en el peor de los casos.

La verdad es que, aunque era un poco incómodo aguantarlo de vez en cuando, tampoco me suponía un problema y simplemente aplicaba el lema «a palabras necias oídos sordos».

Por supuesto, no se lo conté a ningún profesor y menos aún en casa, puesto que mi madre ya estaba bastante preocupada con mi cambio conductual, que sumado a la particular soledad personal que sufría, sería añadir más carga emocional al deplorable estado anímico de una persona que se preocupaba de todos menos de ella misma y, sin éxito, intentaba controlar una situación familiar que se derrumbaba, tratando de reconducir un rumbo que se estaba perdiendo y no sabía cómo recuperar, desde que se produjo un accidente con demasiadas víctimas.

10

Aquella tarde, descubrí que los agresores no se rinden ante la indiferencia y, curiosamente en algunos casos, es lo que más les cabrea.

A la salida del instituto, volví a sufrir la presencia de Piqueras, iba acompañado de otros dos imbéciles que parecía que les pagara por reírse.

—¡Hombre!, sí está aquí mudito. —Así me llamaba frecuentemente.

Cumpliendo con mi estilo usual, no repliqué.

—Hoy no me voy a ir sin que hables —dijo Piqueras mientras se despojaba de su mochila, exponiendo que no tenía prisa.

Escruté a mi alrededor para comprobar en qué situación me encontraba, siendo poco alentador no ver a nadie próximo a quien pedir ayuda. Instintivamente, arranqué a correr hacia mi izquierda, en dirección al instituto, pensé que todavía quedaría algún profesor allí o, por lo menos, el conserje.

—¡A por él! —gritó Piqueras e increíblemente sus dos secuaces, como si fueran perros de presa, me persiguieron velozmente hasta darme alcance.

Uno de ellos se abalanzó sobre mí, tirándome al suelo. Me resistí como pude para intentar zafarme y escapar, pero pronto llegó Piqueras, moviendo su pesado cuerpo con un trote desmañado, para ayudarles. Venía contento, esta vez disfrutaba más que en anteriores ocasiones, porque podía percibir mi miedo, y eso debía excitarle.

—No huyas, si solo quiero que me dediques unas palabras —insinuó con sorna.

Cogió del suelo un palo y comenzó a golpearse suavemente en la palma de la mano que quedaba libre, como si se tratara de un matón. De repente, hizo ademán de golpearme con él, pero detuvo el movimiento a escasos centímetros de mi cara, en una acción que pretendía asustarme, y realmente lo consiguió, provocando al mismo tiempo las risitas de sus colegas.

—No tengo toda la tarde, que trabajo te cuesta —indicó Piqueras—. Te lo voy a poner fácil, solamente tienes que decir la siguiente frase: «No hablo porque soy un estúpido mudito».

Había pasado a la fase de la humillación, que era su favorita, con la diferencia de que esta vez parecía que no iba a rendirse hasta lograr su cometido.

—No recordaba que no me he bebido el zumo en el recreo, ¿lo quieres?

Sacó de la mochila un *tetrabrik* que me puso cerca de la boca.

—¿Quieres o no? —volvió a preguntar.

Mi mirada apuntaba al suelo, manteniéndome silente. Piqueras abrió el envase y comenzó a derramarlo sobre mi cabeza, chorreando el zumo por mi pelo primero, para escurrir después por mi cara y cuello.

—No hablo porque soy un estúpido mudito. —Recordó la frase que debía pronunciar.

Continué sin darle el gusto.

—Mira que eres pesado —dijo Piqueras.

Esa afirmación me molestó más que el zumo en mi cabeza, ¡encima el pesado era yo!

—Ya te he dicho que no te voy a dejar, así que tú verás —amenazó Piqueras, agarrándome fuerte del cuello.

La humillación subió de nivel.

—Te voy a dar la última oportunidad, si no dices la frase, te irás a tu casa en calzoncillos.

Me puse colorado automáticamente, ese ultimátum sí que realmente me aterró.

Directamente, los tres energúmenos me tiraron al suelo y comenzaron a desabrocharme los pantalones, mientras yo me retorcía, ejerciendo una fuerza más allá de lo común, esa fuerza que aparece, de algún sitio desconocido, en los momentos que te encuentras en peligro. Aun así, eran tres contra uno y no pude frenarlos.

Cuando mis pantalones se encontraban por los tobillos, grité:

—¡Basta!

Sorprendidos por mi alarido, cesaron su acción y me miraron expectantes.

—¡Soy un-un mu-mudito estúpido! —pronuncié tartamudeando a consecuencia de la ansiedad que sentía.

—Puedes repetirlo más claro, que no lo he entendido bien —solicitó Piqueras.

—No hablo porque soy un mudito estúpido.

—¡Perfecto! Dame las gracias porque te he enseñado a hablar otra vez.

Y los tres rieron, y yo intenté calmarme, pero no podía. Se marcharon de allí, altivos, victoriosos ante un niño asustado y tembloroso, que los miraba desde el suelo, un niño al que habían desnudado por fuera y por dentro. La ansiedad dio paso a la rabia y al llanto incontenible, contemplando cómo se alejaban, dejándome allí tirado.

La rabia es peligrosa, porque te otorga un coraje mayor del que crees tener, porque elimina el miedo y te obliga a actuar sin pensar, sin reparar consecuencias, impulsivamente.

Me levanté y subí mis pantalones, observándolos como caminaban lentamente, sin tan siquiera mirar hacia atrás para ver cómo me encontraba o si todavía me encontraba en el mismo lugar que me dejaron. Cogí del suelo el palo que había usado Piqueras previamente para intimidarme, lo agarré con mi mano derecha y, con paso ligero a la vez que silencioso, los perseguí hasta que me situé a un metro de ellos. En ese momento, Piqueras se dio la vuelta y, antes de que pudiera verme, con todas mis fuerzas estrellé ese palo en su cabeza, que lo doblegó instantáneamente.

Los dos acompañantes quedaron tan sorprendidos, que también se volvieron muditos.

Justo después de golpearlo y ver brotar la sangre de su cabeza, me di cuenta de lo que había hecho. Solté el palo y corrí sin descanso y a toda velocidad hasta que llegué a mi casa.

Esa misma tarde el director del centro llamó a mi madre por teléfono.

—¿Qué ha pasado Álex? —preguntó Marta, después de colgar.

—Yo no quería, mamá —le dije llorando.

Lo único que me preocupaba era que ese chico estuviera grave en el hospital o, peor todavía, muerto.

—¿Por qué lo has hecho?

—No lo sé —respondí.

Podría haberle dicho que se lo merecía, que ese gordo abusaba de mí, que me había humillado... Pero no se lo dije a ella y tampoco al director. El culpable de aquel incidente fui solo yo.

Piqueras únicamente necesitó ocho puntos de sutura, algo que me tranquilizó, no por él, sino por mí, ya que no quería acabar en un correccional de menores como un adolescente homicida.

A mí me expulsaron una semana, medida que, lejos de ser un castigo, sin duda fue un alivio. El partido no se pierde hasta que acaba y, aunque sé que no estuvo bien lo que hice, en aquel momento me sentí vencedor.

Mi madre no comprendía cómo había hecho algo tan monstruoso, intensificando mis sesiones con el psicólogo esa semana de retiro. Una semana que transcurrió sosegada, como unas pequeñas vacaciones, en las que pude descansar de un escenario que cada vez me agradaba menos.

Todo iba genial, hasta que llegó el domingo y mi mente empezó a recordarme, constantemente, que al día siguiente tendría que regresar al aula. Hasta ese día, ni lo había pensado, disfruté de la tranquilidad de mi habitación sin ser consciente de que esa tranquilidad tenía fecha límite.

El miedo volvió a apoderarse de mí, no sabía lo que me iba a encontrar. Si antes Piqueras se metía conmigo sin motivo, ahora que le había abierto la cabeza con un palo, no quería imaginarme cuáles serían las represalias.

Llegada la tarde, comencé a impacientarme. Todos los pensamientos, que no había tenido anteriormente, llegaron a mi cabeza de golpe. Tenía que trazar un plan, no podía ir al instituto como si nada y esperar a que me machacara.

Decidí evitarlo todo lo posible, no vagar de forma solitaria ni alejarme de sitios concurridos como premisas para minimizar riesgos. Después de darle muchas vueltas, finalmente descarté echar un cuchillo a la mochila, aunque sería una herramienta que únicamente usaría en caso de extrema emergencia para amedrentarlo, si me volvía a dar otro ataque de rabia, nadie me iba a librar del temido reformatorio.

Apenas pude dormir durante la noche, en incontables ocasiones chequeé mi reloj, viendo cómo avanzaban las horas y la mañana estaba cada vez más cerca.

Llegué al instituto cinco minutos tarde a propósito, para que la mayoría de alumnos ya estuvieran en sus aulas y así cruzarme con las mínimas personas. Salió según lo previsto y deambulé por los pasillos vacíos hasta que, finalmente, me ubiqué en mi clase, cuya puerta estaba cerrada. Toqué con mis nudillos y accedí. Solo hubo unos buenos días del profesor, ningún otro sonido se escuchó en el aula. Rostros serios y alguna tímida mirada.

Una de esas miradas fue la de Piqueras, que apenas duró un par de segundos y rápidamente la desvió hacia la pizarra.

Cuando sonó el timbre del recreo, de acuerdo con el plan establecido, me apresuré para ser de los primeros en salir, evitando coincidir principalmente con Piqueras. Una vez en el patio, me dirigí hacia una zona tranquila, alejada de la pista polideportiva, que era donde se congregaba el bullicio, pero también próximo a uno de los profesores que vigilaba.

Al término del recreo la estrategia no era ser rápido, sino avanzar junto a la mayoría y llegar a clase con nutrida compañía. Subiendo las escaleras escuché la peculiar voz de Piqueras, giré la cabeza y lo encontré justo a mi izquierda, charlando con otro compañero. Las miradas se cruzaron, pero al igual que había sucedido con anterioridad, fue un gesto fugaz, inmediatamente apartó sus ojos de mí y continuó escalando peldaños, sobrepasándome y apartándose de mi lado.

Estaba un poco confundido por la apacible reacción de mi temido acosador, también sorprendido porque la mañana transcurría mucho mejor de lo imaginado.

Cuando llegaron las dos de la tarde y acabó la jornada, me mezclé con la muchedumbre de alumnos y avancé hacia mi casa, por la calle principal, buscando siempre la existencia de presencia humana que ahuyentara a los «indeseados», o a quien recurrir en caso de necesidad.

Cuando por fin abrí la puerta e ingresé en zona segura, respiré aliviado y me sentí muy contento, porque el plan había salido a la perfección.

Esa noche, después de cenar, comencé nuevamente a experimentar el hormigueo en mi estómago, que me recordaba que la preocupación continuaba y pronto tendría que enfrentarme a un nuevo y peligroso día.

El martes llegó y no sucedió nada, tampoco el miércoles, y eso que me crucé varias veces con Piqueras. Nadie se metió conmigo ni me apabulló, ni siquiera escuché ningún comentario acerca de lo ocurrido. La semana estaba siendo insólita y mucho más placentera que mi mejor pronóstico mental.

El jueves estaba mucho más confiado, incluso dormí de un tirón la noche previa, mi percepción asustadiza había mutado y empecé a creer que Piqueras me tenía miedo, que me había ganado el respeto en el instituto, desafiando a un «ogro», y ahora nadie se atrevería a meterse conmigo.

Sin embargo, esta percepción triunfal se desvaneció súbitamente, justo después de comer, cuando recibí un *whatsapp* de Rafa, mi único amigo real, con un recado alarmante: *Ten mucho cuidado mañana, están tramando algo, los he escuchado hablar y quieren darte una lección.*

Después de ese mensaje, que me dejó petrificado, regresando a mi estómago un millón de hormigas, tenía claro que el viernes me dolería muchísimo la cabeza y no podría asistir a clase. Sin embargo, finalmente no fue necesario recurrir a la dramatización, puesto que esa misma tarde anunciaron por televisión una noticia crucial, que cambiaría no solo mi vida, sino prácticamente la de todos los habitantes del planeta.

11

El catorce de Marzo de 2020, justo ocho meses después del accidente, se decretó el estado de alarma y una cuarentena sanitaria en todo el país a consecuencia de un virus que quitó muchas vidas y entristeció otras muchas, no obstante, para mí supuso una boya donde agarrarme, una pausa en una rutina que no me gustaba. También me alegré de poder sortear a Piqueras, no tendría que verlo durante una temporada, lo que me liberaba de una incertidumbre constante.

Sin duda, esa cuarentena fue lo mejor que me había pasado en mucho tiempo, no solo porque terminó una soledad que fingía que no me importaba, sino porque la compañía se multiplicó en el hogar, se multiplicó exactamente por tres: padre, madre e hijo, que ahora realmente formábamos una familia.

Durante este confinamiento obligatorio, comprobé que la soledad era una mierda comparada con la posibilidad de compartir, me di cuenta de que esta situación era perfecta y no quería que terminara. Está feo pensarlo y más aún decirlo, pero cada vez que se ampliaba el estado de alarma, me alegraba.

Las dos primeras semanas recibí algunos *whatsapps* con amenazas de este tipo: «De la que te has librado», «ya te pillaremos cuando regreses», «no te vas a escapar». Pero como el proceso se demoraba y la vuelta a las clases se iba postergando, parece que se olvidaron de mí y dejé de recibir mensajes. Cuando por fin confirmaron que el curso presencial había terminado, lo celebré dando saltos con una satisfacción inmensa. Me hizo tanta ilusión, que el tercer trimestre, estando en casa, más relajado y con menos obligaciones, estudié mucho más que en lo que llevaba de curso. Aun así repetí, no fue suficiente para compensar el nulo rendimiento ofrecido previamente y las numerosas faltas de asistencia.

Mi placentera estadía contrastaba con la del resto de la sociedad, que demandaba volver al estado anterior de bienestar, recuperar lo que supuestamente habíamos perdido. En un principio, había acuerdo generalizado en que el encierro y paralizar la vida social era necesario para contener la propagación de la pandemia pero, conforme pasaban los meses, la economía empezaba a pesar tanto como el virus, una economía que se estaba derrumbando porque solo se podían realizar actividades esenciales, lo que dejó en evidencia que la humanidad dependía mucho más de cosas que no eran estrictamente necesarias.

Todo el mundo ansiaba volver a su vida anterior, menos yo, a mí me encantaba la «nueva normalidad», como decidieron llamarla. Una nueva normalidad en la que la gente no tenía prisa, en la que dar un paseo era una actividad emocionante, un tiempo en el que se llamaba a diario a los seres queridos, una etapa en la que el trabajo perdió importancia y la salud recuperó el lugar que merece en el *ranking* de prioridades, una situación en la que las personas tenían restringida su libertad, pero albergaban más tiempo para ellas mismas, un momento en el que todos conocimos cuáles eran las cosas esenciales, un periodo que pudo cambiar la forma de concebir la existencia, pero realmente no lo logró.

Mi padre teletrabajaba en casa todos los días, que junto a la educación a distancia fueron los mejores inventos del confinamiento.

Alberto llevaba bastante mal el encierro, prefería el regular encierro en su oficina de la antigua normalidad. Se quejaba absolutamente por todo, primero acusaba a los gobernantes de no haber paralizado el país antes y, posteriormente, de no retomar la actividad también antes; se quejaba de la economía, a pesar de que la suya no era precisamente delicada; se quejaba de que no podía salir a la calle cuando quisiera, sin embargo, con una hora de paseo diaria, su *smartwatch* reflejaba muchos más pasos que cuando tenía vía libre; se quejaba del trabajo, pero él seguía trabajando cómodamente desde casa y cobrando el mismo sueldo, echando menos horas... Se quejaba y se quejaba de forma inconsciente, sin saber a veces por qué lo hacía, ya que hasta se contradecía, protestando por lo que anteriormente apoyaba, lo que le provocaba un estado de cabreo más o menos permanente, que por supuesto no admitía.

«Tranquilo, no te enfades tanto», le decía Marta.

«¡No estoy enfadado!», gritaba, otorgándole la razón.

Y después venía la justificación de su indignación: «Es que no sé cómo podéis vivir tan felices, con la que está cayendo», era una de sus frases favoritas.

Supongo que se refería a la que le estaba cayendo a otros, porque mi padre seguía siendo un privilegiado.

«Venga, vosotros seguid aplaudiendo alegremente a las ocho de la tarde», exponía con ironía.

Le molestaba, en general, que no tuviéramos el mismo grado de irritación que él, pensaba que, al igual que la mayoría, estábamos ciegos y no veíamos lo que estaba ocurriendo, sin comprender, por su parte, que si nos lo tomábamos con otra actitud distinta, no era porque fuéramos ciegos o tontos, sino porque solucionábamos exactamente lo mismo que él y vivíamos más tranquilos.

Aparte de estas minucias, el día era largo y estábamos juntos veinticuatro horas, por lo que no todo eran quejas, también había tiempo para jugar a las cartas, hacer una receta de cocina, un puzle o una manualidad. Alberto trabajaba por la mañana en el despacho que se habilitó específicamente para este propósito y, durante la tarde, lo mismo jugábamos al escondite, que hacíamos un reto con un rollo de papel higiénico o inventábamos un baile. Estaba alucinado de todas las actividades en las que participaba mi padre, sobre todo porque, desde que se produjo el accidente, cualquier otra cosa que no fuera trabajar le hacía sentirse culpable.

«Se ha curado», pensaba agradecido.

No solo yo estaba feliz, mi madre se sentía mejor que nunca. Una noche puse la oreja en la puerta de su cuarto para comprobar si se encontraba llorando, como frecuentaba, pero escuché otro tipo de gemidos, que parecían indicar que estaba superando la tristeza.

Mi vida había dado un giro completo, ya no experimentaba miedo, no existía la soledad, no era una víctima, sino actor principal de innumerables cosas sencillas que, sin embargo, a mí me parecían extraordinarias.

Una de las cosas que escaseó y más se echó de menos durante el aislamiento, fue la muestra de cariño física, aunque no precisamente para mí, en mi caso abundó, jamás había recibido tantos besos y abrazos como en esos maravillosos días.

12

Con el tiempo, nos fuimos adaptando a vivir con la amenaza del virus, a las mascarillas, a los tests de antígenos, a olas, certificados covid y agotadores noticiarios, recuperando, progresivamente, vestigios de la añorada normalidad, esa que reclamaba desaforadamente la ciudadanía, la misma que a mí tanto me asqueaba, porque me conducía a un pasado que había olvidado y me arrastraba de nuevo a la soledad, a despedirme de mi padre y dejar de vislumbrar la sonrisa de mi madre.

Marta también retornó al mismo pasado, al de fingida apariencia de entereza durante el día y lágrimas silenciosas, bajo las sábanas, por la noche.

Al igual que sucedió en el confinamiento vivido, lo de Alberto también fue una desescalada progresiva por fases: primero empezó a trabajar presencialmente tres días por semana. Todavía tenía tiempo para mí, para seguir compartiendo instantes que me iluminaban y me hacían sentir amor. Más tarde, la actividad laboral presencial se incrementó de lunes a viernes, que nos restó tiempo juntos, aunque los fines de semana seguía estando a mi disposición, para jugar y verme jugar, para contarle historias y escucharme, para él hacer de padre y yo de hijo. Posteriormente, comenzó a quedar los fines de semana con clientes, convertirse en director general de la cadena hotelera implicó que tuviera que desplazarse a otras ciudades durante esos fines de semana que ya no eran para mí. En la última fase de su desescalada personal, Marta y yo regresamos a la prístina soledad, esa que creíamos superada, la que nos hacía retroceder y recordarnos que solo nos teníamos el uno al otro.

En Septiembre, el nuevo curso, en mi caso, comenzó mucho mejor que terminó —aunque asistiera con mascarilla y distancia de seguridad—. Seis meses de ausencia habían servido para que los acosadores se olvidaran de mí y persiguieran otras presas. Al igual que pasó conmigo, yo también miré hacia otro lado, revelando que no se trataba de indiferencia, sino de supervivencia. Mi abuelo me contó que cuando un león persigue a una manada de gacelas, el objetivo de estas es correr todo lo que pueden, en una carrera en la que lo único que importa es no ser la última. El león solo cazará a una de ellas, a la más rezagada, el resto sobrevivirá. Esto no solo lo saben las gacelas, también lo aprendí yo. Si hay otra presa delante, no me tocaría a mí. Cuestión de supervivencia.

Repetir curso se convirtió en una oportunidad de cambiar de público y conocer a otros alumnos, que no tenían prejuicios, que no les importaba si estaba callado o no, que no les molestaba mi desidia. Me sentí mucho más integrado y cómodo con mis nuevos compañeros, lo que también logró que me abriera socialmente e incluso conseguir algunas amistades.

La soledad paulatinamente disminuyó para mí, aunque aumentó para Marta. La que empezó a ir al psicólogo fue ella, la que se tendía en el sofá arropada por una manta fue ella y la que guardó en su interior la tristeza también fue ella. Dejé de escucharla llorar por las noches, en cambio, su mirada carecía de brillo, la sonrisa se había borrado de su faz y su boca comenzó a economizar palabras.

Marta confió en el tiempo como aliado: «poco a poco», «es pronto», «más adelante cambiará», se dijo continuamente. Pero ese tiempo avanzaba con celeridad, sintiendo su paso solo internamente: en sus ojos desgastados, en su decaído ánimo, en su consunción... Sin embargo, salvando el efímero atisbo de luz existente mientras un confinamiento nos mantuvo recluidos —y también unidos—, nada nuevo ocurría fuera.

Pasaron dos años desde que se produjera el accidente, sin que Marta apenas hubiera sido consciente de que los había vivido, sin que, definitivamente, el tiempo ejerciera la función sanadora que se le atribuye, evidenciando que el tiempo no es un médico. Si quería que algo diferente sucediera, irremediablemente, debía actuar diferente, aunque no le gustara.

Mi madre seguía profundamente enamorada de Alberto, y esa era la principal razón de que no hubiera dado ese paso antes, a pesar de que lo había barajado en su cabeza numerosas veces. La otra razón era que percibía el futuro como un salvavidas, que le ofrecería la posibilidad de que «mañana» volviera a ser como años atrás, la esperanza de que se produjera un cambio que no dependía de ella, sino de él.

Una separación es una decisión complicada en cualquier situación, si continúa persistiendo el amor la decisión se convierte en una obligación: tener que hacer un acto que no quieres. Por eso era inútil que su hermana le dijera que sería lo mejor a largo plazo, tampoco le consolaba que el psicólogo la animara a hacerlo, porque es fácil elegir cuando no se trata de tu vida, es sencillo decirle a otro aquello que será lo ideal... Pero cuando se trata de amor verdadero, no importa lo que crean los demás que es mejor, solo sirve estar convencido interiormente de que se trata de lo mejor para ti, y eso difícilmente sucede.

Mi madre tenía la tranquilidad de haber luchado por su relación, aunque no sabía si lo suficiente ni tampoco cuánto era lo suficiente. Continuamente creía que podía hacer más, intentarlo de nuevo. Le quedaba la duda de encontrar lo que buscaba en la siguiente espera o esperar indefinidamente. Marta no sentía culpa, sino miedo, temor a equivocarse y elegir la opción errónea, realizar una acción irreversible.

No sabía si era lo más acertado para ella, solo sabía que estaba agotada y no era feliz. Debía alejarse de esa fingida realidad, para darse cuenta de lo que necesitaba, que la mayoría de las veces no es lo mismo que deseas.

—¿Cómo? ¿Por qué? ¿Para qué? —cuestionó extrañado Alberto, cuando Marta le propuso tomarse un tiempo.

A mi madre también le sorprendió que necesitara esas respuestas para entenderlo.

—¿Hay otro hombre? ¿Es eso? —volvió a inquirir, ávido de una explicación.

No existía otro hombre, ni siquiera se había sentido atraída por otro hombre que no fuera él. Posiblemente ese era un inconveniente para Marta, que no tenía una alternativa que facilitara la ruptura.

—¡Contéstame! —continuó implorando mi padre—. Dame un motivo, al menos.

—No lo sé —dijo Marta tímidamente.

—¡Venga ya! ¡Eso no es un motivo! —expresó Alberto indignado.

—Necesito pensar.

—No lo entiendo... Nos queremos mucho... No discutimos nunca...

—Tal vez ese sea el problema, que no discutimos nunca porque apenas hablamos —refutó Marta—. Que nos queremos mucho, desde la distancia.

—Pero...

—Yo te quiero, pero no así —interrumpió mi madre—. Tal vez para ti sea suficiente con no discutir, para mí no.

Después de aquella conversación, Marta hizo su maleta y yo la mía. Nos trasladamos a casa de mi abuela materna de forma provisional, solo sería una pausa para pensar y aclarar ideas, descubrir si lo echaba de menos y, sobre todo, si él la echaba de menos. Ese era el primordial propósito.

Marta tenía la ilusión de que ese parón le haría reaccionar a Alberto, que serviría para que se diera cuenta de lo que estaba perdiendo, que conseguiría transformarle y provocar el cambio que Marta anhelaba, que trataría de recuperarla por todos los medios e imploraría, arrepentido, su regreso.

Las previsiones de Marta carecieron de acierto, nada de lo anterior sucedió, tampoco hubo románticos mensajes o una declaración amorosa, aunque hubiera sido por *whatsapp*. No existieron muestras de ese cariño que, realmente, Alberto cobijaba. Ninguna sorpresa inesperada, ningún valiente gesto, tampoco una gran proposición o una pequeña insinuación…, nada. Únicamente un solitario ramo de rosas rojas en su aniversario, que no fue acompañado de una llamada, un mensaje o, al menos, un «te quiero» insertado en la tarjeta de la floristería.

A Marta le gustaban las rosas, pero no aquellas que carecen de sentimiento, que se regalan porque es el «día de», sin comprender el remitente que no se trata de regalar flores, sino señales.

Alberto lo hizo con buena intención, que para él era suficiente, aunque no para Marta. Ella prefería más hechos que intenciones.

Posiblemente ahí fue cuando mi padre aceptó la derrota; seguramente ese día mi madre se convenció de que, efectivamente, sería lo mejor. Continuaba queriéndolo, sabía que Alberto también la amaba, pero llevaba demasiado sin demostrarlo y, al final, una cosa no sirve sin la otra. Quizá ese fue uno de los recuerdos que mi padre perdió con el accidente.

Marta abandonó las flores en la terraza, sin otorgarles el agua que les permitiera aguantar vivas un poco más. Las dejó marchitarse, al igual que su pasión y, el día de su aniversario, asumió que no podía hacer más, que había terminado, que lo había intentado todo, o casi todo.

13

Los tres nos fuimos acostumbrando a la nueva situación familiar, a pesar de que no nos gustara a ninguno. Estábamos separados físicamente, pero el recuerdo de esos felices años juntos seguían vivos, al igual que el afecto, que nunca se perdió con la distancia.

A mí todavía me costaba comprender que existieran obstáculos tan fuertes como para vencer el deseo, que la broza ocultara las flores y persistiera la trampa de pensar que era lo ideal para ellos, como así decidieron el día que bajaron los brazos.

Después de un par de meses viviendo con mi abuela, mi madre y yo regresamos a casa, mientras que mi padre se instaló en una *suite* de uno de los hoteles que regentaba. De esta manera, podía permanecer en el puesto de forma indefinida, reduciéndose su vida a aquel ostentoso hospedaje en el que comía, dormía y sobre todo trabajaba.

Aunque la separación no fue tramitada legalmente, en la práctica, mi madre tenía mi custodia y mi padre se limitaba a saber de mí, por teléfono. Cada quince días pasaba un fin de semana con él, compartiendo su lujosa *suite*, disfrutando de unas mini vacaciones en régimen de «todo incluido». Bufet libre en el desayuno, después me tocaba elegir entre el parque de atracciones, zoo, musical, cine, algún museo o espectáculo teatral. El plan era tan sencillo como mirar la guía del ocio y escoger el pasatiempo del sábado y el domingo. Por supuesto, el día acababa con cena en mi restaurante favorito.

Un fin de semana de ensueño que, al igual que un gran viaje, una vez terminado solo quedaba el recuerdo y esperar el siguiente.

Alberto tampoco escatimaba en regalos. Cada vez que nos veíamos, aguardaba sonriente con una sorpresa encima de la cama. Empezó con pequeños detalles, siguiéndoles cada vez menesteres más valiosos, económicamente me refiero.

«¿Qué quieres que te regale para la próxima vez?», me preguntaba, habitualmente, antes de despedirnos.

«No hace falta, no necesito nada», respondía. Aunque me moría de ganas de decirle la verdad, que el único regalo, que deseaba con fervor, tenía tanto valor que no podría adquirirlo, porque no se compraba con dinero.

«Bueno, pues entonces lo escogeré yo», replicaba en la puerta de mi casa, culminando con un sonoro beso en mi frente, antes de abandonar su coche y regresar con mi madre.

Y me alejaba triste, porque el regalo lo escogería él y no yo, porque sabía que no serviría de nada decirle que lo único que quería era más tiempo junto a él, que no necesitaba una nueva videoconsola a la que apenas jugaría, ni el último modelo de zapatillas, que eso no me hacía feliz, que prefería un simple paseo o una merienda juntos, me bastaba tenerlo a mi lado para disfrutar del mejor obsequio.

Terminado el fin de semana que nos unía, solo quedaba la llamada telefónica diaria de las nueve y media de la noche, cuando él terminaba de trabajar y yo de cenar.

«Me encantaría, Álex, pero es imposible. Tengo que quedar con clientes», me respondió al poco de la separación, cuando le pedí verlo todos los fines de semana.

No volví a insistir desde entonces, curiosamente el regalo que yo creía más asequible era imposible para él; estaba disponible para desconocidos, pero no para mí.

Entendí que el dinero que tenía Alberto no servía para comprar lo único que yo deseaba. Y lo olvidé, lo acepté y me conformé con recibir objetos que no me importaban.

Lo más llamativo es que a Alberto no le gustaba su trabajo, aunque se implicaba más que los propios dueños de la empresa.

No se sentía realizado, tampoco lo hacía solo por dinero, posiblemente la verdadera razón era que, mientras trabajaba, se olvidaba de Marta, de mí y, sobre todo, de su hermano Toni.

Mis padres apenas se vieron a lo largo de la separación, alguna llamada necesaria, fríos mensajes informativos y una felicitación de cumpleaños fue el vínculo que les sostuvo, durante el año que permanecieron alejados.

Alberto continuaba enamorado de Marta, siempre lo estuvo, desde el día que la vio entrar en clase. Mi madre tenía veinte años, justo la mitad que ahora. Coincidieron en esa reducida aula, con espacio para quince personas, donde un profesor explicaba las señales de tráfico, velocidad permitida y normas de seguridad vial. Teoría que no captaba la atención de Alberto, puesto que esta se encontraba un par de metros a su izquierda, donde se ubicaba Marta, aparentando interés en la lección, fingiendo no percatarse de sentirse observada.

Las miradas se incrementaron, y a veces se cruzaban, y nacía una sonrisa en el rostro de mi madre cuando esto ocurría. Las miradas dieron paso a las palabras, una cita, un beso, un viaje, una declaración junto al mar, un «sí quiero», instantes, amor, nueve meses de espera, Álex, más instantes, felicidad. Fue tan bonito que costaba entender por qué terminó si ninguno quería un final.

Los sentimientos de Alberto contrarrestaban con sus acciones, que eran nulas. No hizo nada por volver con ella, por demostrarle que seguía siendo el mismo que la contemplaba con disimulo desde su pupitre, por darle un poquito de lo que mi madre añoraba. La pereza, el miedo al rechazo y la pasividad lograban aplastar la pasión, que quedó postergada a un rincón de difícil acceso.

Mi padre pensaba que no serviría tratar de recuperarla, que no lo perdonaría o, peor aún, que ya no lo quería.

Mi madre creía que había luchado demasiado, que debería ser él quien reaccionara o, peor aún, que ya no volvería a besarlo.

El amor era mutuo y, sin embargo, no existía.

En medio estaba yo, que asumí antes que ellos que sería así. No había nada de malo en amar por separado, no tenía que repartir el cariño, era el mismo para ambos. Desde que decidí rechazar el victimismo, dejar de quejarme internamente por aquello que no tenía solución o, al menos, yo no podía solucionar, y disfrutar de cada uno de ellos y de mí mismo, mi vida mejoró bastante, no era perfecta, pero ya no me volví a sentir solo.

Como había hecho en anteriores ocasiones, una vez más me adapté al cambio. Llevaba mucho tiempo de vaivén emocional, por lo que estaba cada vez más preparado para afrontar alternativas. A la caída progresiva es más fácil adaptarse que a la brusca. Seguía, sin embargo, sin estar preparado para ese cambio que se produce en un segundo, el mismo segundo que decidió la vida de Toni, ese soplo que gira por completo tu ser y lo pone del revés.

Alberto tampoco estaba preparado, aunque lo hubiera experimentado previamente —seguramente nunca te acostumbras a ese segundo— y de nuevo saboreó la acritud de la angustia, cuando el recepcionista del hotel, donde se alojaba, le entregó una anónima carta, que había aparecido misteriosamente en el buzón, dirigida a él.

14

18 de Julio de 2022

Tres años desde que se produjera el accidente, veintiocho meses después de vivir un confinamiento y un año más tarde de su separación, cuando Alberto ya creía que había cubierto el cupo de desdichas y le había pasado todo lo que le podía pasar, esta noticia le advirtió que la saga continuaba y era pronto para tomarse un respiro.

Sentado en el escritorio de su habitación abrió la carta, leyendo absorto el escueto texto que contenía:

Tenemos secuestrados a tu mujer y a tu hijo.
Salvarlos depende únicamente de ti.
Solamente tienes que seguir sencillas instrucciones.
Si cumples estas instrucciones, te aseguramos que no sufrirán ningún daño.
Si no cumples las instrucciones…, olvídate de ellos.

Instrucciones:
No llames a la policía.
No se lo cuentes absolutamente a nadie.
Destruye este documento después de leerlo.
Muy pronto recibirás nuevas instrucciones.

La carta, que carecía de sello, iba acompañada de una foto nuestra. Era una foto muy reciente, que no había realizado Alberto ni había visto anteriormente. Estábamos sentados en una silla, uno al lado del otro, con las manos colocadas en las rodillas. A Alberto le pareció una posición muy antinatural, como si alguien nos hubiera indicado el posado que debíamos exhibir. Mirábamos de frente, a la cámara, con semblantes serios. Mi padre rastreó exhaustivamente la imagen, intentando buscar algún detalle que pudiera darle una mínima pista de nuestro paradero, pero el fondo era totalmente oscuro.

Empezó a marearse. La visión se le nubló. Notó el acelerado palpitar en el pecho como un redoble. La ansiedad invadió sus pulmones impidiéndole respirar y, con dificultad, aspiró el aire que pudo a través de su boca, con la sensación de asfixiarse.

«Tranquilo, tranquilo», se dijo a sí mismo.

«Se trata de dinero, seguro que lo único que quieren es dinero y, por suerte, dispongo de ahorros en mi cuenta o, si fuera necesario, puedo pedir un préstamo», siguió hablando en voz alta, mientras se desplazaba por la habitación sin rumbo.

Estas palabras consiguieron disminuir la zozobra y calmarle un poco. Pero las dudas e interrogantes le seguían asediando. No sabía si llamar a la policía o realmente esperar instrucciones; no sabía si quemar la carta o guardarla como prueba.

Volvió a mirar la foto y su piel tembló, un pasajero pensamiento destructivo se le cruzó por la cabeza, apartándolo inmediatamente de su mente. No quería imaginarse lo que acababa de imaginarse.

«Tranquilo, Alberto, tranquilo», repitió nuevamente, sujetándose la cabeza con ambas manos.

Llamó por teléfono a mi madre: apagado. Después me telefoneó a mí con idéntico resultado.

«Tranquilo, tranquilo».

Finalmente se inclinó por llamar a la policía y enseñarles la carta que había recibido.

«Les enviaré una captura del texto para levantar menos sospechas y tener la máxima discreción», pensó y, justo a continuación, surgió la duda: ¿y si no existe discreción?

Se estaba volviendo loco. La indecisión lo paralizaba, aumentando su inseguridad. Además estaba solo, no debía compartirlo con nadie…, la elección era suya.

Releyó las instrucciones y cambió de opinión. La amenaza, de perder a su familia si no las cumplía, pesaba demasiado como para desobedecer a la primera. No sabía si lo estaban vigilando o si lo conocían. Era muy arriesgado.

«Seguro que es cuestión de dinero», volvió a cavilar.

«Solo tengo que esperar a que me envíen otro mensaje con la cantidad y la forma de entrega», continuó anticipando los hechos.

«Eso es, esperaré a que me digan las próximas instrucciones y entonces veré lo que hago», resolvió en última instancia.

La espera fue tensa y demasiado lenta para mi padre, que chequeaba el reloj cada diez minutos y, cada media hora, bajaba a recepción para preguntar si alguien había dejado alguna misiva para él.

Pasaron dos horas y la desesperación aumentaba. Pensó que sería difícil que los secuestradores volvieran a utilizar la misma forma de contacto para evitar ser descubiertos, aunque también cabía la posibilidad de que solo supieran que ese hotel era su residencia habitual, convirtiéndose en la única forma de comunicarse con él.

Decidió trasladarse al vestíbulo y permanecer sentado en un sillón, alejado de la recepción, simulando que estaba leyendo una revista, para vigilar desde allí y poder identificar a un posible mensajero, sin quitarle ojo al buzón.

A las doce de la noche, después de tres horas aguardando, descartó que fuera a aparecer el emisario.

Había llamado unas cincuenta veces a nuestros móviles. Seguían apagados.

Alberto se estaba impacientando, comenzó a pensar que era una imprudencia sentarse a esperar, tenía que hacer algo, su familia estaba secuestrada y él continuaba pendiente de unas supuestas instrucciones. No podía irse a dormir plácidamente. Había llegado el momento de asumir el riesgo y comunicarlo a la policía.

«Ellos son expertos, sabrán qué hacer en esta situación», se convenció.

Se encaminó hacia el ascensor y subió hasta la séptima planta, en la que se encontraba su habitación. Se sentó en la cama y cogió su teléfono, dispuesto a realizar esa llamada que tanto miedo le daba.

Vaciló bastante, entreteniéndose en anotar y borrar los números 0, 9, 1. Antes de que los juntara y apretara el botón verde de su móvil, recibió un mensaje de texto:

Mañana realizarás la primera misión.

A las 9 de la noche irás al aeropuerto de Barajas, terminal 4, mostrador de Iberia.

Recogerás un billete de avión a tu nombre y un paquete.

Cogerás el vuelo con destino Cusco, que sale a las 23:55h.

Cuando llegues a Cusco, serás recogido en el aeropuerto y tendrás a tu disposición un guía que se encargará de todo.

Ese paquete debes llevarlo contigo. Te informaremos del destinatario en el siguiente mensaje.

El paquete no contiene droga, explosivos ni ningún material ilegal.

Bajo ningún concepto puedes abrirlo.

Te garantizamos que tu familia está bien.

Si realizas la entrega correctamente estarás más cerca de recuperarla.

Si no cumples las instrucciones, lo lamentarás.

Alberto no entendía nada, «si saben mi número de teléfono, ¿para qué me han enviado una carta?», reflexionó.

Lo primero que hizo fue teclear «Cusco» en el buscador de su móvil.

«¿Qué? ¿Están locos? ¿Cómo me voy a ir a Perú? Si ni siquiera tengo pasaporte», masculló, atónito, sin poder dar crédito a lo que acababa de leer.

El mensaje de texto tenía como remitente la palabra «anónimo». Mi padre pensó que debían haberlo enviado desde alguna aplicación o página web que permitiera mensajes de texto sin utilizar un número de teléfono real. Supuso que si acudía a la policía, ellos serían capaces de hacer averiguaciones y encontrar la ubicación o dirección IP del dispositivo desde donde se envió el mensaje. También sabía que, si lo hacía, estaría incumpliendo las instrucciones de los secuestradores... y las consecuencias le aterrorizaban.

Era la una de la madrugada, la cabeza de Alberto estaba saturada, no estaba en disposición de tomar una decisión importante, necesitaba descansar, al menos unas horas. Se tumbó en la cama y continuó dándole vueltas a la carta, al mensaje, a Perú, a la policía… Se acordó de su mujer y de su hijo, evocó la última vez que cogió un avión junto a ellos. El destino fue Londres. Ya hacía de eso cinco años. Rememoró la subida a la famosa noria London Eye, contemplando desde las alturas la maravillosa ciudad que tenían enfrente. Alberto rodeó el cuerpo de su linaje con un brazo mientras que, con el otro, iba señalando las distintas zonas y monumentos que se divisaban desde el aire. Solo con visualizarlo pudo sentir el calor de mi cuerpo y el tacto del hombro de Marta. Y mi padre, con esta imagen, estrechando con su brazo lo que más quería, se quedó dormido.

15

De un respingo se incorporó de la cama donde reposaba, sobresaltado miró su reloj, comprobando que eran las siete y cuarto de la mañana. Estaba tan aturdido que su memoria se había congelado y permanecía inactiva, hasta que giró su vista hacia la mesita y observó la carta encima de esta. La realidad le sacudió, activándola de nuevo.

Volvió a leer el mensaje que recibió en el móvil la noche anterior. Ya no quedaba tiempo para procrastinar, tenía que tomar una decisión y pasar a la acción.

Seguía sin entender la misión que se le había encomendado y por qué él, aunque se sentía más calmado que el día anterior, quizá el sueño le había reparado parcialmente. Salió a la terraza de la habitación, recibiendo los primeros rayos del incipiente día.

Meditó en silencio qué hacer, llegando al mismo punto de confusión e indecisión inicial, del que posiblemente no saldría nunca, ya que era difícil saber qué acción sería la acertada. En una disyuntiva como la suya, nunca se sabe con anterioridad, solo vale elegir y confiar. Y eso hizo Alberto.

Se dirigió hacia el armario, extendió sus brazos y, ayudándose de la punta de los dedos, consiguió agarrar el asa de su maleta, que estaba colocada en el altillo, bajándola al suelo.

Es posible que estuviera cometiendo un error, tal vez estaba tomando el camino equivocado, pero no podía ni quería pensar más. No sabía lo que le deparía, a qué se enfrentaría o si regresaría. Lo único que le preocupaba era salvar a su familia, y para ello iría a Perú o donde hiciera falta. Mi padre no temía por su vida, solo por la nuestra.

Declinó seguir haciéndose preguntas mentales para las que no tenía respuesta y lo único que conseguían era crear más dudas, incertidumbre y desconcierto. Una vez que escogió, se propuso que la elección fuera firme, si no hasta el final, al menos hasta el siguiente paso. Eso realmente fue lo que consideró, pensar meramente en el siguiente peldaño, no en la escalera. Simplemente seguiría instrucciones…, siempre que estas fueran factibles.

«¿Qué hay detrás de esto? ¿Qué pretenden? ¿Y si no lo consigo? ¿Cómo acabará?». Eran preguntas que podían desatar la locura e impedirle avanzar hacia el objetivo, que exclusivamente consistía en recuperar a su mujer y su hijo. Era lo único que deseaba con toda su fuerza, su verdadero motivo de vida en este momento. No le importaba el precio ni el esfuerzo, solo el fin. Dejó de pensar en el problema y se encaminó a buscar la solución, que inicialmente pasaba por cumplir indicaciones.

Alberto creía en la palabra de la gente, pocas veces le había fallado la intuición. Fue algo que aprendió de su padre y lo aplicaba frecuentemente, en sus relaciones de negocios, con éxito. Recordó una conversación que tuvo con él, hacía muchos años:

—Si alguien te da su palabra, no solo te está dando una palabra, también su honor si no la cumple —le dijo su padre.

—¿Y qué pasa con los políticos? —preguntó Alberto, irónicamente.

—En toda regla hay excepciones —contestó, desternillándose.

Le quedaba confiar en que no se tratara de otra excepción y los secuestradores también tuvieran honor.

Colocó en la maleta la ropa que fue escogiendo, indistintamente la llenó de prendas de invierno y verano, sin saber qué clima le esperaría. De forma aleatoria añadió diferente ropaje del armario, hasta que completó el espacio. Cerró la cremallera y la dejó colocada en una esquina de la habitación.

La maleta ya estaba preparada para el viaje, aunque seguía faltando un elemento imprescindible. Tenía que sacarse el pasaporte, si quería volar esa noche.

Desayunó rápidamente en el restaurante del hotel y se dirigió hacia la comisaría de policía más cercana. Evidentemente no tenía cita previa, algo que podía ser un inconveniente y su tramitación dependería de la predisposición de la persona que le atendiera.

Esperó casi tres horas, a que terminaran las solicitudes programadas de la mañana.

—¿Por qué no tienes orden de citación? —preguntó el agente, sin mirarle a la cara.

—No me daba tiempo a conseguirla.

—¿Para cuándo lo necesitas?

—Para hoy.

—¿Y vienes hoy? —consultó sorprendido.

—Bueno, es que no sabía si lo necesitaba.

La respuesta de Alberto fue tan absurda como eficaz, muchas veces mostrarte ignorante ayuda y, seguramente, el agente pensó que no era muy espabilado, por lo que dejó de indagar y se ciñó a expedirlo, sin más dilación.

Hay personas que preparan un viaje durante meses, sin embargo Alberto, en solo unas horas, ya tenía el pasaporte en su poder y la maleta lista.

En una pequeña taberna, próxima a la comisaría, engulló un bocadillo de calamares acompañado de un zumo y, a las tres y media de la tarde, ya estaba fuera, con varias horas todavía disponibles hasta la salida del vuelo nocturno.

Volvió a llamar a Marta, cuyo móvil continuaba permanentemente inactivo, comprendiendo que podía desistir de continuar intentándolo, nadie respondería. Este hecho no le alarmaba en exceso ni lo consideraba una trágica señal, estaba claro que cualquier secuestrador lo primero que haría es desactivar el móvil de sus incautados.

Alberto invirtió el remanente de tiempo en realizar una última visita antes de partir, una visita que le asustaba más que el propio viaje que debía emprender en unas horas, a pesar de tratarse de la única persona que conocía a quien podía contarle este secreto, y cualquier otro, sin temor a que lo desvelara.

Era la primera vez que se enfrentaba a ese trozo de mármol que tenía grabado el nombre de su hermano. Mientras el cuerpo de Toni yacía expuesto ante decenas de ojos lagrimosos y lastimeros sollozos, el de Alberto se mantuvo postrado en una cama de hospital, ajeno a lo que sucedía en aquel tanatorio.

Tres años después, volvía a estar delante de él, o de esa lápida adornada con flores. Tenía tantas cosas que contarle, ahora que no podía escucharle. Probablemente por este motivo no había ido a visitarlo antes, quizá le daba vergüenza expresarle a un nicho todo aquello que no fue capaz de decirle a la cara.

Alberto hincó sus rodillas en el delgado cemento que cercaba sus restos. Intentó hablar, pero en lugar de palabras salieron lágrimas oxidadas. Por primera vez, desde su muerte, logró llorar. Y lo hizo con amargura, con alaridos, sin importarle ser escuchado, sin tratar de contener esos gemidos que salían de un lugar del pecho que se había solidificado y hoy, después de tanto tiempo, conseguía destruir la moldura pétrea que envolvía su corazón.

«¡Lo siento!», clamó.

«Lo siento, lo siento, lo siento, lo siento…», encadenó en una secuencia interminable.

Ese fue el único vocablo que esbozaron sus labios. Puede que fuera estéril, tal vez ese arrepentimiento no llegó a su destinatario, pero Alberto le entregó el dolor que portaba encima, quedando también enterrado allí. No necesitó respuesta para sentirse, al fin, perdonado.

El encuentro se prolongó durante más de una hora, y su llanto también. Los lagrimales explotaron sin tregua, surcando por sus mejillas el torrente acumulado de pesadumbre, maquillado de integridad, que había mantenido. Y le gritó que lo echaba de menos, a sabiendas de que, seguramente, no le oía; y le confesó, valientemente, que lo amaba, aprovechando que sus ojos no estaban delante.

Con esta visita no logró mitigar lo que sentía, fue mucho más importante, porque consiguió expresar lo que sentía.

A las ocho de la tarde regresó al hotel. No podía informar de sus planes a nadie, pero si iba a estar unos días alejado del trabajo y del alojamiento, le obligaba a aportar una justificación para no levantar recelos. Sabía que no tendría dificultad para cogerse unos días libres, sin dar explicaciones. Sin embargo, no dar explicaciones podía ser lo más sospechoso, precisamente porque nunca lo había hecho.

Por otro lado, desconocía cuánto se demoraría su ausencia. Solo conocía el día de salida, pero no el de regreso.

Decidió que lo mejor sería informar de lo justo, para tener coartada y al mismo tiempo que no la descubrieran.

Eligió entre los recepcionistas al más novato, con el que menos relación tenía, como receptor del mensaje, para evitar preguntas que no supiera resolver.

—Carlos, ven un momento —dijo Alberto—. Tengo que acompañar a mi madre a una intervención quirúrgica y voy a estar fuera dos o tres días hasta que se recupere.

Asintió con la cabeza, sin tan siquiera preguntarle qué le sucedía o de qué era la operación, consiguiendo exactamente lo que Alberto pretendía.

—Avisa a Ramón y dile que se quede él supervisando durante ese tiempo.

—De acuerdo —afirmó escuetamente.

Alberto se despidió y comenzó a avanzar en dirección al ascensor.

—Una última cosa —comentó Alberto, girándose—. Dile a Ramón que no me llame a no ser que sea muy urgente.

Carlos exhibió el dedo pulgar en alto, confirmando la petición.

Una vez dentro de su *suite*, Alberto extrajo del cajón de la mesita la carta que recibió de los secuestradores y la volvió a leer. Del escritorio cogió un mechero y prendió fuego al documento, viendo cómo en pocos segundos la prueba del secuestro se convertía en ceniza.

A continuación, agarró su maleta y abandonó la habitación. Bajó hasta el *hall* y, avanzando vivamente para no cruzarse con ningún empleado que le invitara a mentir de nuevo, cruzó la puerta giratoria que le condujo al exterior del hotel.

—A la terminal 4 del aeropuerto, por favor —indicó al taxista que le estaba esperando.

16

A las nueve de la noche, según lo previsto, Alberto llegó hasta la segunda planta de la terminal y avanzó al mostrador 810, en el que pudo divisar, desde lejos, el cartel de Iberia y una pantallita que mostraba «Cusco» como destino.

Se colocó detrás del último pasajero y aguardó su turno. Faltaban tres horas para el vuelo y todavía no había mucha gente facturando, ya que estaban abriendo el mostrador en ese momento.

Esta ocasión contrastaba con las anteriores en las que había volado. Solo estuvo fuera de España cuatro veces y siempre lo había hecho acompañado de un nutrido grupo de viajeros, de diversa procedencia, que merodeaban por el aeropuerto, despistados, buscando al representante de la agencia para reunirse por fin todos y comenzar el circuito estandarizado que les habían planificado, en el que estaba programado hasta las tiendas de suvenires que iban a visitar.

Alberto habría sido incapaz de viajar al extranjero solo, de no ser por una causa como la que le obligaba a hacerlo. Lo de errar por el mundo, de forma autónoma, estaba fuera de su alcance. Lo admiraba en su hermano Toni, pero él carecía de ese valor. Le importaba demasiado lo que pensaran de él, le asustaba lo desconocido y, en general, lo consideraba una locura. Por eso, siempre confió en un grupo, en el que integrarse, y en un guía que le facilitara el trayecto y le indicara qué ver, cuándo y a qué hora.

Mi padre siempre debía tener todo bajo control antes de empezar, era enemigo de la improvisación, precisaba del orden para sentirse seguro. Ahora, en cambio, estaba a punto de ser atendido por una azafata a quien no sabía ni qué decirle, aguardando que le entregara un billete hacia un lugar del que lo único que conocía es que estaba cerca de Machu Picchu, sin saber qué se encontraría allí. Además, no tenía un grupo para apoyarse, lo haría por primera vez aislado, se enfrentaría al temido territorio de lo incierto sin tenerlo bajo su dominio. Sin embargo, el único temor que sentía era por su familia.

—Buenas noches, me puede dar el pasaporte, por favor —solicitó la azafata de Iberia.

Alberto se sofocó al palpar sus nalgas y no notar el tacto del documento. Estaba seguro de haberlo puesto en el bolsillo trasero del pantalón... Ya no estaba tan seguro. Abrió su bolsa de cabina y miró en todos los compartimentos, después indagó en su propio cuerpo, chequeando cada uno de los bolsillos.

La azafata comenzó a impacientarse.

—Si necesita buscarlo, sería tan amable de apartarse para que pueda continuar atendiendo.

—Sí, un momento —respondió Alberto.

Pero lo cierto es que no acató el mandato y siguió tanteando con sus manos una y otra vez por la superficie de su indumentaria, acalorándose conforme se acababan las posibilidades.

—¿Estás buscando esto? —consultó un chico rubio, que se acercó, mostrándole el extraviado pasaporte, que acababa de recoger del suelo.

Alberto lo abrió, respirando, aliviado, al comprobar su propia identidad. Seguidamente lo depositó en el mostrador.

La azafata lo cogió y comenzó a teclear en su ordenador.

—¿Billete de ida con destino Cusco y salida a las once y cincuenta y cinco?

—¿Billete de ida? —preguntó Alberto extrañado.

—Sí, es lo que ha comprado. Un billete de solo ida, ¿no es lo que quería?

El sofoco de nuevo apareció, aumentando la coloración de su rostro ante una inesperada noticia. ¿Qué significaba un billete sin vuelta?

—Vale, está bien —pronunció, sin terminar de salir de su asombro.

La azafata le entregó la tarjeta de embarque, rodeándole con bolígrafo el asiento en el avión.

—Que disfrute del viaje —emitió, despidiéndolo.

No obstante, a mi padre le faltaba algo.

—¿No han dejado nada para mí?

—¿A qué se refiere, señor?

—Un paquete o algo así —explicó Alberto, dubitativo.

—A mí no, como no haya sido a mi compañero.

—¿Podrías preguntarle, por favor?

La azafata, que veía como la fila aumentaba incesantemente por el retraso que le estaba ocasionando, cambió el gesto amable que tenía instalado, levantándose airosamente. Avanzó unos metros, por la pasarela interna, hasta llegar a otro de los mostradores, en el que se encontraba un chico moreno ataviado con una camisa blanca de Iberia, que estaba depositando una maleta en la cinta transportadora.

Hablaron durante un instante y mi padre pudo observar, entre varias cabezas de pasajeros, cómo la azafata le señalaba con el dedo. Este chico sacó algo del compartimento inferior del mostrador y se lo entregó. Seguidamente, con un sonoro taconeo, la azafata regresó a su sitio.

—Aquí tiene —dijo, extendiéndole un pequeño paquete del tamaño de un libro.

—Muchas gracias —respondió Alberto—. ¿Sabe qué es o quién lo ha traído?

La cara de la chica se desfiguró tanto, que mi padre creyó que iba a avisar a la policía. Gracias a que la cola de pasajeros seguía alargándose, debido a los veinte minutos invertidos, decidió concluir apresuradamente, exhibiendo una amabilidad disfrazada de inquietud.

—Lo siento, no tengo ni idea —indicó—. Podría, por favor, permitirme continuar.

—Sí, disculpe —respondió, retirándose.

Rápidamente, la azafata alzó su mano reclamando al siguiente pasajero. Alberto introdujo el pequeño paquete en la mochila y la cargó a su espalda, alejándose de allí para dirigirse al punto de control de seguridad, previo a la puerta de embarque. Descartó indagar más, para evitar unas sospechas que podían truncar la operativa.

Fue precisamente esperando en este control, cuando volvió a preocuparse por el contenido del misterioso objeto recibido.

«¿Y si contiene droga?», se preguntó.

En las instrucciones del mensaje, que los secuestradores enviaron, quedaba reflejado que no portaba ningún componente ilegal, pero… ¿era fiable?

Lo extrajo de la mochila para explorarlo exteriormente. El pequeño paquete, de cartón blanco, estaba precintado con numerosas capas de cinta adhesiva. Lo más chocante para Alberto era su ligereza, parecía que no contuviera nada en su interior, resultaba totalmente liviano. Este dato motivó su curiosidad, aunque también le tranquilizó pensar que difícilmente se trataría de droga y, en caso de serlo, por su peso, el delito no sería notorio.

Volvió a guardarlo y se dispuso a cruzar el arco de seguridad. Colocó en una bandeja su móvil, correa y reloj, depositando en otra distinta la mochila. Observó cómo sus bártulos se desplazaban lentamente por un túnel que manaba incertidumbre. Una vez recibida la señal del agente, con decisión, atravesó el detector, respirando profundamente al no escuchar ningún pitido a su paso.

Se encaminó a recoger sus bultos, aunque estos no salían. Comprobó cómo la cinta adelantaba y retrocedía, pero sus bandejas no asomaban. Tampoco le sosegó contemplar la cara del encargado de manejar aquel aparato quien, totalmente concentrado, miraba en una pantalla el interior de su mochila, exhibiendo distintos colorines en un contenido indescifrable.

Finalmente, la bolsa apareció, acercándose, al mismo tiempo, uno de los vigilantes.

—¿Podría abrir su equipaje, por favor?

«Mierda», musitó Alberto. Con torpeza, consecuencia de los nervios, deslizó la cremallera hasta el otro extremo. El vigilante, colocándose unos guantes de látex, introdujo sus manos. Solamente palpaba en el interior, apenas miraba dentro, parecía buscar un objeto en concreto. Mi padre temblaba, figurándose que no tardaría en mostrarle la cajita de cartón y le colocaría las esposas seguidamente.

Tras unos interminables segundos, sacó sus manos. No fue la cajita lo que le enseñó, sino un cortaúñas. Lo observó detenidamente, dándole varias vueltas.

—Esto no puede introducirlo en el avión —concluyó, palpando con la yema de su dedo índice la punta de una diminuta lima punzante, que contenía el cortaúñas.

Alberto se puso tan contento al conocer el impedimento, que casi le da las gracias.

—No se preocupe, quédeselo o tírelo, lo que prefiera.

El vigilante, sin añadir ningún juicio, lo depositó en un contenedor contiguo, sorprendido ante la reacción dócil, seguramente acostumbrado a los enfados generalizados de la mayoría de viajeros a los que les incautaba artículos no admitidos.

Pasado el trance, a Alberto solo le quedaba dirigirse hasta la puerta de embarque, teniendo un excedente de una hora y media para hacerlo. Después de atravesar la típica tienda libre de impuestos, atestada de perfumes, alcohol, tabaco y chocolate, apareció en la terraza de Starbucks, la única cafetería en la que alguna vez se permitía tomar un café sin compañía, mejor dicho con la compañía de su ordenador portátil, de esta manera no daba la impresión de estar solo.

Se pidió un café caramelizado con el envase más pequeño disponible, que seguía siendo un tazón de los que necesitas dos manos para levantarlo. En parvos sorbos, para no abrasarse la boca, lo saboreó dilatadamente, sin la presencia de su ordenador, tampoco de su teléfono móvil, que tenía la batería agotada. Durante treinta minutos, disfrutó a solas de su café, respirando su aroma, relajado, sin más distracción que darle vueltas con la cucharilla. No solo saboreó la bebida, también el instante, y se preguntó por qué no lo había hecho antes.

Terminada la pausa, abordó la puerta de embarque correspondiente, después de un extenso discurrir de pasillos. Se sentó en una de las incómodas sillas que quedaban libres para esperar el aviso. Todavía faltaban cuarenta y cinco minutos para la salida del vuelo y una multitud de pasajeros se agolpaban frente al mostrador, ansiosos por estar entre los primeros, como si les fueran a quitar su asiento, previamente asignado.

Cuando la azafata retiró la cinta que cortaba el paso, para iniciar el proceso de embarque, en masa se levantaron el resto de viajeros para unirse a los precavidos existentes, engrosando la extensa fila. Alberto permaneció sentado hasta que quedaban apenas diez personas, accediendo el último al avión, sin prisa porque sabía que el asiento 53C le estaba esperando. Sorprendentemente, se encontraba muy tranquilo.

Habían sido dos días extenuantes y el cansancio afloraba. Se abrochó el cinturón, colocó unos tapones en sus oídos y cerró los ojos, tratando de borrar, entre sueños, parte de las once horas que faltaban para su primera escala en Lima.

Los motores comenzaron a rugir, las luces disminuyeron su intensidad, la velocidad se incrementó progresivamente, hasta que comenzó a elevarse el avión, cogiendo altura, atravesando las primeras nubes.

El viaje comenzaba.

17

Recluido en aquella habitación, cerré el puño con fuerza y apreté la piedra mágica que mi abuelo me regaló cuando cumplí nueve años. La trajo de Tierra Santa, en un viaje organizado por esa parroquia en la que permanecía más horas que en su propia casa.

«Menuda tontería de regalo», pensé cuando me la dio. No esperaba que me trajera un balón de fútbol de Jerusalén..., pero tampoco una piedra.

No dije nada, ni siquiera gracias. La guardé en el bolsillo directamente, sin detenerme a observarla, sin otorgarle más valor que el de una piedra.

—No es una piedra, es tu piedra —dijo mi abuelo, recriminando mi gesto—. Igual que tú no eres un niño, eres mi nieto.

Ese día no entendí a qué se refería, años después, cuando él falleció, comprendí que no había muerto un anciano, sino mi abuelo. Y aprendí que las cosas o las personas son todas iguales, menos las que te importan, que se convierten en únicas.

Ahora puedo ver en esta piedra lo que no vi entonces: su color azulado con reflejos violáceos cuando el sol la ilumina, su borde irregular y asimétrico aunque perfectamente tallado, pese a no haber intervenido el hombre en su creación, la suavidad de sus caras, contrarrestando con lo abrupto de su canto, que es el que penetra en mi dermis punzantemente cuando la aprieto.

—Esta piedra está bendecida y tiene el poder de protegerte, consérvala cerca y te ayudará cuando lo necesites —me explicó... y yo me lo creí.

Desde que mi abuelo se fue, esa piedra me acompaña constantemente, viajando conmigo en el bolsillo de cualquier pantalón o bajo mi almohada mientras duermo. Dejó de ser una piedra para convertirse en mi piedra, la que él me regaló, confiriéndole su impronta.

Cada vez que el miedo me domina, la aprisiono en mi mano poderosamente hasta que se clava en la piel y comienza a doler. Después, repito continuadamente la frase «todo está bien», notando cómo la ansiedad disminuye y el miedo, aunque no desaparece, se mitiga lo suficiente para dejarme respirar, incluso pensar.

Cuando mi padre estuvo en el hospital, me hice una pequeña herida en la palma de la mano, de aprisionarla con tanto ímpetu, pensando que el efecto de la piedra sería mucho mayor si le imprimía energía. No sé si fue gracias a la piedra, pero mi padre salió ileso. También recurrí a su magia durante los días previos a enfrentarme, en el instituto, al temible Piqueras, y volvió a funcionar. Nunca me ha fallado su poder, sigue siendo mágica y realmente me protege, o tal vez es mi abuelo quien lo hace.

En esta ocasión, una vez más, volví a apelar a ella. Tendido en la cama, la estreché con ambas manos, implorando entre susurros que todo acabara bien, que mi padre estuviera bien.

Percibí su agudo filo y aflojé la fuerza. La respiración bajó el acelerado ritmo. Noté cómo la piedra comenzaba a actuar, y me acurruqué, serenándome, confiando que mi súplica sería atendida.

18

Cuando Alberto abrió los ojos, comprobó en el pequeño mapa que mostraba la ubicación del avión, de la pantallita que tenía en el cabezal frontal, que estaba sobrevolando el oeste de Brasil, lo que significaba que la capital de Perú estaba próxima.

Había dormido profundamente durante siete horas, a pesar de la incomodidad del asiento. El estrés acumulado fue suficiente para concederle un sopor duradero, ahorrándole una noche en vela, que habría invertido, seguramente, en confeccionar nocivos pensamientos.

La escala en Lima era de solo una hora y media, que únicamente le concedió un paréntesis para otro café a solas. El segundo de su vida, en menos de veinticuatro horas.

Subió en el nuevo avión, mucho más pequeño que el anterior, que en poco más de una hora le llevaría hasta su destino final. El nerviosismo, que le había dado una tregua durante la noche, inició su acometida. Estaba a punto de enfrentarse al desconocido escenario que le aguardaba. ¿Quién le recogería? ¿A quién tendría que darle el misterioso paquete? ¿Le comunicarían la cifra del rescate y forma de entrega? Y lo que más le preocupaba: ¿se reencontraría con su familia? Estas preguntas brotaron en su cabeza, para despertar la inquietud y unas dudas que se disiparían pronto.

Nada más aterrizar en el aeropuerto de Cusco, pasar el control de inmigración y recoger su equipaje, aceleradamente avanzó hacia la sala de llegadas, dominado por una mezcla de aprensión e impaciencia.

Numerosas personas aguardaban tras las puertas correderas, que conectaban con la sala en la que viajeros y asistentes se unían. Alberto no sabía quién lo esperaba o si realmente lo esperaba alguien. Se paseó delante de los abundantes carteles, que portaban los conductores, buscando algún tipo con aspecto de mafioso que exhibiera su nombre entre sus manos, o tal vez sus movimientos estaban siendo vigilados desde lejos, esperando el momento propicio para prenderlo y obligarle a subir a un coche.

Una vez que llegó a un extremo, realizó el mismo recorrido en sentido inverso, transitando lentamente, poniendo sus ojos en todos los rincones, pendiente de un gesto, una mirada, una señal.

Sr. Mansilla, pudo visualizar al fin, pintado de rojo, en un trozo de papel arrugado, que sujetaba un hombre que, desde luego, no era como se lo imaginaba, puesto que de mafioso tenía más bien poco. Mediría alrededor de 160 centímetros, muy delgado y moreno de piel, ataviado con una camisa verde que le envolvía como si de un saco se tratara.

Alberto se aproximó cautelosamente, deteniéndose frente a él.

—¿Es usted Alberto Mansilla? —preguntó, anticipadamente, el individuo que llevaba el letrero.

—Sí, soy yo —respondió Alberto.

—¡Bienvenido a Perú! Mi nombre es Nelson —informó, extendiendo su mano para saludarlo—. Acompáñeme al aparcamiento.

Nelson le ayudó con la maleta y comenzó a avanzar hacia el exterior del aeropuerto. Alberto lo siguió de cerca, sin perder de vista su espalda.

Una vez en el *parking*, abrió el maletero de un viejo coche negro, colocando el equipaje en su interior.

—Vamos, puede subir —solicitó.

Mi padre accedió a la parte trasera del coche, al mismo tiempo que Nelson se ponía al volante y arrancaba el motor.

—¿Es su primera vez en Perú?

—Sí, la primera.

—¿En qué parte de España vive?

—Madrid —contestó Alberto, escuetamente.

—¡Bonita ciudad! Tengo amigos allí —expresó—. ¿Real Madrid o Atlético?

Mi padre estaba confuso y alucinando con tanta preguntita, no podía entender la cordial actitud de ese hombre que, supuestamente, formaba parte de un secuestro.

—Real Madrid —afirmó.

—A mí me gusta el Barça.

«Pues muy bien me parece, pero ¿dónde está mi familia?», pensó Alberto.

—Estamos entrando en el centro histórico. —Retomó el diálogo Nelson, después de cinco minutos silenciosos—. A la izquierda está el colegio de la Merced y, justo delante, la plaza de Armas.

Al atravesar la plaza, el coche giró a la derecha y, pocos metros después, se detuvo en la puerta de un hostal.

—Ya hemos llegado, este es su alojamiento —comunicó Nelson.

—¿Mi alojamiento? ¿Me voy a quedar a dormir aquí? —consultó mi padre, sorprendido.

—Eso parece, señor… ¿No le gusta? ¿Si quiere puedo recomendarle otro hotel mejor?

Alberto no daba crédito a lo que estaba aconteciendo. Necesitaba respuestas y se estaba impacientando ante una situación de incertidumbre que le superaba.

—¡Lo que quiero saber es dónde está mi mujer y mi hijo! —gritó Alberto, agarrándolo del cuello de su enorme camisa—. ¿Quién te manda?

—¡Qué hace, señor! ¿Se ha vuelto loco? —refutó el conductor, tratando de zafarse de las manos de Alberto.

—¡Contéstame! ¿Quién te manda? —repitió furioso, apretando con más fuerza.

—¡Me mandan de la agencia! ¡No sé de qué me habla! —respondió Nelson—. Yo solo soy el chófer encargado de su traslado.

Mi padre comprendió que se estaba equivocando de persona y dejó de forcejear.

—Lo siento, no quería…

Nelson salió del coche sin pronunciar ninguna palabra. Abrió el maletero, extrajo del mismo el equipaje de Alberto y lo dejó en la acera.

—Discúlpeme, me he confundido —alegó Alberto, bajando del vehículo.

El conductor rápidamente regresó a su asiento y pisó fuerte el acelerador, alejándose velozmente del lugar.

Alberto se sintió disgustado por haber cargado su ira contra ese pobre hombre, que solo hacía su trabajo, aunque ya no podía enmendarlo.

Entró en la minúscula recepción del hostal, que solo tenía espacio para una mesita con un antiguo ordenador y un sofá, aparte del mostrador, en el que estaba una joven uniformada con una elegante chaqueta azul, que desentonaba con la austeridad del local, bastante distante de los hoteles que mi padre frecuentaba habitualmente.

—Buenos días, ¿me puede prestar su pasaporte? —indicó la recepcionista.

Alberto sacó el documento de su mochila y se lo entregó.

—Viene usted solo, ¿verdad?

—Así es.

—Por lo que veo, tiene incluida esta noche y también la de pasado mañana.

A Alberto, según esas cuentas, le faltaba una noche.

—¿La noche de mañana no está incluida?

La chica prestó atención a la pantalla de su ordenador, volviendo a revisar la información.

—No, mañana no tiene reservada la habitación, aunque si lo desea…

—No hace falta, de momento déjalo así —zanjó, prefiriendo no adelantar acontecimientos y esperar instrucciones.

Le devolvió su pasaporte y le entregó la llave de la habitación, insertada en un llavero rectangular de madera, de unas dimensiones desproporcionadas. Hacía muchos años que no veía una llave tradicional, de esas características, en un hotel.

—Su habitación está en la segunda planta, al lado de los aseos.

Subió los escalones de la estrecha escalera con dificultad, acarreando con su maleta a duras penas, hasta que llegó a la habitación 213, cuyo número lucía, escrito con pintura, en el marco de la puerta. El tamaño del cuarto entero no superaba el del baño de la *suite* donde residía. Además de diminuta, los complementos y muebles no podían ser más anticuados. El estampado de flores vestía la cama y las cortinas, como si se tratara de una habitación de estilo clásico, pero cutre. Al menos estaba limpia.

En la mesita había un trozo de papel con la contraseña wifi. Llevaba veinticuatro horas sin revisar su correo electrónico, algo inédito para él. Enchufó el cargador a su móvil, se sentó en la cama y comprobó los *mails* de la empresa.

Ocho mensajes nuevos, de los cuales cuatro llevaban como *asunto* la palabra «urgente».

Comenzó por estos últimos:

Tenemos una pareja, de luna de miel, y solo quedan habitaciones dobles con camas separadas. Están muy enfadados.

Alberto le dio al botón de responder, tecleando un breve texto: *Dales una suite ejecutiva y deja dentro bombones y una botella de champán.*

Pasó al siguiente correo urgente: *Un cliente ha encontrado, debajo de la cama, un calcetín usado y quiere poner una reclamación.*

«¿Pero quién coño se dedica en su estancia a mirar debajo de las camas?», se preguntó Alberto.

Discúlpate con ellos y regálales una sesión completa de spa, respondió.

Justo cuando se disponía a abrir el tercer mail, entró un mensaje de texto con el remitente anónimo. Instantáneamente cerró su cuenta de correo, para atender una tarea que sí era realmente urgente.

A las 15:00h serás recogido por un guía en la puerta del hostal.

Prepara en la mochila ropa cómoda para una noche fuera y deja el resto de equipaje en recepción, puesto que regresarás mañana.

No olvides llevar también el paquete, que deberás dejar dentro del buzón de tu próximo alojamiento, antes de marcharte.

Sabemos el lamentable comportamiento que has tenido con el chófer. Que no vuelva a suceder. Ni los conductores ni los guías conocen absolutamente nada y no poseen ninguna información.

Si sigues las instrucciones, todo irá bien.

Alberto, haciendo caso a las indicaciones, colocó en la mochila la ropa más cómoda que tenía, es decir, unos vaqueros y unas zapatillas, sin saber el motivo. Aunque no era fácil, ante una situación que generaba tanto desasosiego y un sinfín de cabos sueltos, su propósito seguía siendo no hacerse preguntas o, al menos, las mínimas posibles, para evitar volverse loco y poder actuar con decisión. Le daba igual que la siguiente misión fuera jugar un partido de fútbol o realizar un paseo campestre, mientras obtuviera, finalmente, su único objetivo.

Con la mochila a la espalda y maniobrando de nuevo con su maleta, bajó las escaleras hasta la recepción, dejándosela a la misma chica que le atendió, para que se la guardara.

—¿Ya sabe dónde pasará esta noche? —preguntó la recepcionista.

—Sí —respondió Alberto, aunque en realidad era «no».

Le quedaban cincuenta minutos hasta la hora establecida como recogida. Había una puerta que comunicaba con la recepción, que parecía ser un restaurante. Alberto entreabrió esta puerta para asomarse.

—¿Desea comer algo? —consultó la joven.

—Bueno, algo rápido, un bocadillo de lo que sea.

—¿Un bocadillo? —tanteó extrañada—. ¿Ha probado el ceviche?, que es el plato típico peruano.

—No, la verdad es que no.

—Sin duda se lo recomiendo.

—Vale, de acuerdo —confirmó mi padre.

—Muy bien, pues pase y siéntese —expuso, levantándose de su silla para acompañarlo.

Entró en la sala, que estaba vacía, y se sentó junto a la ventana. De la barra salió el camarero y posó sobre su mesa una bebida azulada.

—Le traigo un vasito de chicha morada, que es tradicional de acá —expresó—. ¿Tomará ceviche?

Daba la impresión, por la insistencia, de que más que el plato típico fuera el plato único.

Alberto consintió su degustación y, aunque el plato tenía más calidad que el espacio donde fue servido, lo cierto es que tampoco sedujo su paladar.

Nada más concluir, salió fuera del restaurante y se sentó en uno de los sillones de la recepción, preparándose para el esperado encuentro, que se produjo con estricta puntualidad.

—Buenas tardes, mi nombre es René y seré tu guía en Perú —explicó presentándose—. ¿Conoces el plan?

—¿El plan? —preguntó, asombrado, porque precisamente eso era lo que le gustaría conocer.

—Hoy visitaremos el Valle Sagrado de los incas, varios lugares con gran valor arqueológico. Después, sobre las ocho de la tarde, nos iremos en tren a Aguas Calientes.

El plan descrito no era precisamente el que demandaba Alberto, supuestamente había llegado hasta Perú para negociar un secuestro, no de turismo. Cada vez entendía menos lo que estaba viviendo.

—¿Y qué haremos en Aguas Calientes? —indagó, buscando alguna pista que le condujera hasta su familia o, al menos, hasta los secuestradores.

—Dormiremos allí, para visitar al día siguiente una de las maravillas de la humanidad: Machu Picchu.

La información de René le dejó más descolocado de lo que estaba… ¿En serio se trataba de turismo?

Pasearon juntos hasta la contigua plaza de Armas, la más importante de la ciudad. A Alberto le asombró su arquitectura, rodeada de edificios coloniales, la imponente catedral y los preciosos jardines que la adornaban.

—Aunque no lo parezca, en su inicio esta plaza fue un pantano —anotó René—. Los incas lo secaron y comenzaron a construir lo que sería la capital de su imperio. Posteriormente, tus paisanos españoles demolieron lo creado por los incas y levantaron sus propias edificaciones, por eso ahora su aspecto es colonial.

Continuaron transitando por las calles adyacentes, mostrándole René algunos de los monumentos más importantes del centro histórico de la ciudad.

—Ahora cogeremos el coche y nos dirigiremos al Valle Sagrado, para conocer los principales pueblos que lo forman —comunicó René, después de una hora de agradable paseo por callejuelas que parecían haber quedado congeladas en el tiempo.

Recorrieron el mercado artesanal de Pisac, estuvieron en las salineras de Maras, vislumbraron los andenes agrícolas de Moray, con sus espectaculares terrazas que permitían cultivar multitud de especies vegetales, terminando el recorrido en el magistral complejo arqueológico de Ollantaytambo, que fue el lugar que más impresionó a Alberto. Estaba tan fascinado con la abrumadora belleza que estaba descubriendo, que había olvidado momentáneamente el verdadero motivo que le ocupaba. Las cinco horas invertidas en el Valle se habían disipado tan efímeramente, que no hubo cabida para la preocupación, solo para el deleite de las maravillas que estaba visionando y que no podía creer que estuvieran delante. El único contratiempo fue que llevaba experimentando un ligero mareo y nauseas, desde su paso por la población de Maras, que fue percibido por el guía.

—¿Te encuentras bien? —preguntó—. Estás un poco pálido.

—Estoy bien, lo único es que me encuentro mareado y noto que me cuesta respirar.

—¡Ah!, entiendo —dijo René—. ¿Quieres un poco de coca?

Alberto no imaginaba esa proposición y se apresuró a contestar.

—No, no… Yo no tomo drogas.

René explotó a reír, aumentando el asombro de mi padre, que no entendía a qué se debía el chiste.

—No me refiero a cocaína —especificó René—. Tu mareo se debe al mal de altura, la hoja de coca te aliviará los síntomas.

Sacó de una bolsita una hoja y se la echó a la boca, después ofreció otra a Alberto.

—Toma, simplemente mastícala.

Alberto no parecía muy seguro de hacerlo.

—Vamos, no tengas miedo, la cocaína no existiría sin la coca, pero la presencia del alcaloide, en esta planta, es de menos del uno por ciento.

Mi padre cedió a la justificación y la masticó, lentamente, notando su amargor.

—Te encontrarás mejor pronto —comunicó René—. La hoja de coca tiene muchas propiedades beneficiosas, es injusto que solo se la conozca por una droga.

A las ocho de la tarde, llegaron a la estación de Ollantaytambo para coger el tren que les condujo, en menos de dos horas, a la población de Aguas Calientes, una localidad cuyo primordial encanto era estar próxima a Machu Picchu, y eso era palpable en el cargado ambiente turístico que respiraba y nada tenía que ver con la autenticidad de los pueblos que acababa de visitar.

René lo acompañó hasta el alojamiento, donde pasaría la noche, y le ayudó con el registro de entrada, despidiéndose una vez que le asignaron la habitación.

—Mañana vendré a recogerte a las cuatro de la mañana.

—¿Por qué tan pronto? —preguntó Alberto.

—Ascenderemos andando hasta la ciudadela de Machu Picchu, para llegar justo a la hora de apertura y poder contemplar el amanecer.

Mi padre se retiró a su habitación, más austera todavía que la anterior de Cusco, porque ni siquiera tenía baño en el interior. Poco le importaba después de lo que había presenciado. En realidad, su lujosa *suite* de Madrid la usaba para el mismo fin, que era sencillamente dormir y, para ello, solo necesitaba una cama sobre la que dejarse caer para soñar con un nuevo día, que no sabía lo que le depararía aunque, de forma impredecible, apuntaba a ser muy diferente de lo imaginado.

19

Mi madre cobijaba muchas incertidumbres, aunque no sentía miedo. A pesar de todo lo acontecido, seguía creyendo en él y tenía la certeza de que le importábamos lo suficiente para actuar.

Aun así, convergían algunas escamas, no estaba segura de cómo Alberto iba a reaccionar ante el secuestro y si estaba preparado para afrontar el mismo, pudiendo desembocar, en caso contrario, en una situación de riesgo para los tres, que sería definitiva.

Cuando Marta se enteró de que había cogido ese vuelo, se alegró de comprobar que, ciertamente, a mi padre todavía le bullía la sangre y era capaz de dejarlo todo para luchar por su familia.

20

A las cuatro de la mañana, alumbrando con una potente linterna, emergió la silueta de René. Alberto estaba sentado en el escalón del hostal, abrochando los cordones de sus zapatillas mientras esperaba su aparición.

—¿Estás listo? —preguntó René.

—Sí, estoy preparado.

—La ruta es corta, aproximadamente diez kilómetros, pero es bastante dura porque hay que subir muchas escalinatas de piedra —informó—. Las vistas y el sendero compensan el esfuerzo.

Iniciaron la marcha, juntos, en medio de la oscuridad, iluminados por la linterna y la luna llena que brillaba con fulgor.

—Esta carretera se llama Hiram Bingham, en honor al explorador estadounidense que descubrió Machu Picchu en 1911 —comentó René.

—¿Hace tan poco tiempo?

—Oficialmente sí, aunque los lugareños sabían de este lugar con anterioridad. Además, el hallazgo realmente se debe a un niño llamado Pablo Riccharte —reveló—. Bingham perseguía encontrar Villacampa, la capital de los descendientes de los incas. Un campesino le advirtió de un lugar en el que existían varias ruinas, siendo Pablito quien guió al investigador hasta la «ciudad perdida», ya que era un sitio donde acostumbraba a jugar con sus amigos.

—¿En serio? —cuestionó Alberto, impresionado.

—Sí, a partir de ahí comenzaron las excavaciones y Machu Picchu se dio a conocer al mundo.

Pasados dos kilómetros, abandonaron la carretera para adentrarse en un sendero, señalizado por un indicador de madera, que se componía de cientos de escalinatas empedradas, capaces de destrozar rodillas no preparadas como las de mi padre.

—¿Cuánto falta para llegar? —consultó Alberto, tras una hora de subida.

—Esa no es la pregunta adecuada, sería mejor decir ¿cuánto hemos recorrido ya? —replicó René, aflojando la marcha—. Podemos descansar un poco.

René sacó una cantimplora con agua y se la ofreció a Alberto, sentándose seguidamente en una gran piedra que lindaba con la senda.

—¿Cuánto tiempo llevas haciendo esto? —preguntó Alberto, sorprendido por la fortaleza de René.

—Desde los catorce años —respondió—. Comencé como porteador, después de cocinero de las expediciones y, una vez que aprendí inglés, me hice guía.

—¿Quién te enseñó inglés?

—Aprendí escuchando. Parece mentira, pero escuchando se pueden aprender muchas cosas —contestó sonriente.

Alberto se acomodó en la piedra contigua, estirando las piernas para relajarlas.

—¿Te gusta?

—¿El qué? —consultó René.

—¿Ser guía?

—Claro que me gusta, si no me gustara no lo sería. Recorro, regularmente, los diferentes caminos que llevan a Machu Picchu. No te lo creerás, pero todavía me emociono, muchas veces, cuando culmina la expedición, al despedirme de gente que he conocido y nunca veré más, con la que he comido, he dormido, charlado intimidades, acompañado. Personas con las que he congeniado en unos días más que con amigos de toda la vida. Me emociono cuando otros cumplen sus sueños, viendo sus caras de satisfacción por haberlo logrado. Me emociono contemplando el vuelo del cóndor sobre mí, el rugido impactante de los desprendimientos del pico nevado Salkantay o durmiendo en una tienda de campaña, bajo el cielo estrellado, a cuatro mil metros de altitud. No me importa haberlo hecho cientos de veces, cada vez que comienzo una nueva aventura, actúo como si para mí fuera la primera y para el grupo que dirijo la última.

—¿La última?

—La última que hicieron porque, después de esa, comenzarán muchas más. —Sonrió.

A mi padre le sorprendió la ilusión que se desprendía de sus palabras, cómo después de tantos años podía mantener esa energía y amor por lo que hacía, algo que contrastaba con su propio trabajo, del que cada vez estaba más hastiado.

—Vamos a continuar, más tarde tendremos tiempo de hablar —dijo René—. Ya que te hice madrugar, no quiero que te pierdas la salida del sol.

Prosiguieron por el sinuoso camino hasta que llegaron, al filo de la aurora, a la puerta de acceso.

—Otra de las ventajas de haber llegado temprano es que la cola es mucho menor —comentó René.

Cruzaron la pasarela de entrada y lo que Alberto sintió después fue indescriptible, no podía imaginar que existiera un escenario tan admirable como el que tenía frente a él. El cielo sangraba con el albor del sol, las nubes se mecían a su misma altura, dando la sensación de que flotaba entre ellas, encubriendo una sorpresa que solo se atisbaba a través de las rendijas que quedaban libres, como si fuera pronto para mostrar todo el esplendor que yacía bajo sus pies y el regalo debiera abrirse poco a poco, para poder digerirlo y asimilar la inyección de adrenalina que suponía contemplar algo tan hermoso. A la derecha de Alberto, una linda llama se unió a la escena, seguramente esperando ser fotografiada una vez más.

—¡Buenos días, Machu Picchu! —gritó René, apartando a Alberto de la atracción onírica en la que se encontraba—. Vamos a conocer en primer lugar la ciudadela, que está compuesta por unas 140 estructuras, aunque el sesenta por ciento se encuentra debajo de la superficie, incluyendo un sistema completo de drenaje.

—Es alucinante —consiguió pronunciar Alberto, sobreponiéndose al asombro inicial.

—Ciertamente lo es.

—¿Pero quién...? ¿Cómo han hecho esto? —expresó Alberto, costándole entenderlo.

—El quién sí te lo puedo decir, fueron los incas —afirmó—. El cómo es más complicado de asegurar, se piensa que subieron las rocas a la cima de la montaña, y hablamos de rocas de muchas toneladas. Más increíble todavía resultan los cortes efectuados sobre ellas, el perfecto tallado de los bloques, encajados entre sí con majestuosa maestría y alineación tan milimétrica, que no serás capaz ni de traspasar un folio entre medias de ellos.

Alberto, ansioso por ver de cerca esas construcciones, descendió a la plaza principal, con la compañía de René, quien le fue apuntando detalles y datos de interés, que acrecentaban la fascinación de una persona que había descubierto que una mirada real vale más que mil imágenes.

Recorrieron los principales enclaves de la ciudadela, explorando con fijación sus templos más representativos, como el templo del Sol, el templo del Cóndor y el templo de las Tres Ventanas, que fue el que más le atrajo.

Continuaron el itinerario habitual, que René tenía memorizado, progresando a través de una serie prolongada de escalones.

—¿Qué están haciendo? —preguntó mi padre, extrañado al ver una multitud de personas que acercaban sus manos a una especie de altar de piedra, como si lo estuvieran adorando.

—Están recibiendo la energía de Intihuatana —indicó René.

—Inti... ¿qué?

—*Inti* es el dios del sol y *huatana* significa atar o amarrar, por lo que podría decirse que es el lugar donde se ata el sol —explicó René—. También es conocida como la pirámide de Machu Picchu, es una piedra monolítica labrada en granito, en una sola pieza, que servía de reloj y observatorio astronómico. A través de la sombra proyectada, en la base de la piedra, los incas podían medir las horas de luz que quedaban, predecir los cambios estacionales y los movimientos del sol en general, sirviéndoles de calendario.

—¿Y lo de la energía?

—Este es un lugar espiritual muy importante, no se sabe si se debe a los millones de personas que interactúan con la piedra o, como creen muchos expertos, por la existencia debajo de Machu Picchu de un vórtice que recoge y acumula energía pura —reveló René—. Sea por lo que sea, la energía es real, pero no hace falta que creas lo que te digo, acerca tus manos a ella y experiméntalo.

Alberto, imitando al resto de transeúntes, ubicó sus manos a escasos centímetros de la piedra, y no tardó en notar un cosquilleo en sus dedos, que recorrió sus antebrazos, percibiendo un foco de calor en esta zona.

—Bueno, espero que hayas cargado bastante energía, porque te va a hacer falta —expuso René—. Ahora toca subir la montaña Huayna Picchu.

Alberto giró su cabeza, apuntando a esta imponente elevación.

—¿Estás de broma? Es altísima y súper inclinada.

—No te preocupes, si no puedes establecer el récord de subida, siempre podrás batir el de bajada, que está en once segundos.

—¿Cómo? No te entiendo.

René empezó a reírse y Alberto pilló la broma.

—En serio, no seré capaz, seguro que me da vértigo —dijo Alberto.

—Estás anticipando una cosa que todavía no ha pasado. Hay una cuerda que sirve de pasamanos y puedes parar cuando estés cansado, es más, debes parar frecuentemente, aunque no estés cansado, para mirar a tu alrededor y disfrutar del espectáculo.

—Pero… ¿tú no vienes?

—Yo no tengo tanta suerte, el acceso está restringido a un número limitado de personas diarias, tú eres una de las afortunadas. Aprovecha la oportunidad.

René sacó de su mochila una bolsa de tela y la colgó en el hombro de Alberto.

—Ahí llevas agua y algo de comida para el camino. En tres horas te estaré esperando —apuntilló René, sin ofrecerle otra alternativa que no fuera subir.

Para mi padre constituía un reto difícil de superar, desde el pie de la montaña. Manteniendo el estilo que había adquirido en los últimos días de no pensar demasiado y simplemente actuar, emprendió el ascenso, con desconfianza, pero también con ilusión. Centrándose únicamente en el escalón que tenía delante, midiendo bien dónde apoyaba cada pie, concentrado en los movimientos que realizaba, fue avanzando despacio, aunque de forma continuada y segura, manteniendo la calma y adquiriendo soltura a medida que progresaba en una subida que era dura, pero posible… Superado el recelo inicial, ya no dudaba sobre su capacidad, sabía que lo lograría.

Cada cierto tiempo se detenía y hacía un recorrido visual de 360 grados, para que no se le olvidara en qué lugar estaba y volver a admirar una y otra vez el fabuloso entorno que le envolvía. También le motivaba comprobar el trecho que llevaba ascendido, cuyo efecto era más positivo que mirar hacia arriba y especular con lo que restaba.

Paso a paso, soplo a soplo, fue completando el exigente trayecto, llegando al tramo final que, como suele suceder en toda montaña, era el más complicado y temido. Precedido por las llamadas «escaleras de la muerte», se enfrentaba a 183 escalones de roca, esculpidos por los incas hace más de quinientos años, con una pronunciada pendiente, que requería, en muchas ocasiones, de las cuatro extremidades para escalarlos.

Su ritmo cardiaco se aceleró en este punto, sobre todo cuando miró hacia su izquierda y comprobó que existía una considerable caída. Hizo una pausa, debatiéndose entre continuar o abandonar. Sabía que para conseguirlo no podía escuchar a su mente. Tenía que extremar la precaución, sentir el miedo, pero no dejarse dominar por él y, sobre todo, no desviarse del objetivo, creer únicamente que sí podía alcanzar la meta.

A pesar de la complicación del tramo, había viandantes de todas las edades que se encontraban en la misma situación, lo que le animaba a seguir hacia delante.

Sin mirar a ninguna otra dirección que no fuera el frente, se encaramó por la cúspide de la montaña, rebasando cada uno de los peldaños de piedra, hasta que pisó el último y coronó el Huayna Picchu.

Llegó exhausto por el esfuerzo, aunque no necesitó mucho tiempo para reponerse. Acercarse hasta un extremo y permitir extasiar a sus ojos, fue suficiente reconstituyente y un premio que no solo contrarrestaba el sacrificio invertido, sino que lo ensalzaba, haciéndolo más valioso, porque también contaba con la satisfacción de haber logrado una hazaña física que había sobrepasado sus expectativas.

Sentado en un saliente de piedra, con los piernas pendiendo, ingirió el bocadillo que estaba en la bolsa que René le había entregado antes de la subida. Frente a la inamovible visión de Machu Picchu, saboreó cada uno de los bocados en silencio, convirtiéndose ese bocata en un manjar mucho más preciado que los elaborados platos «Michelin», que tantas veces había degustado delante de un cliente.

Se tomó su tiempo en la cima para avistar el panorama desde todos los ángulos, bajo la ojeada atenta de la ciudadela, que se atisbaba diminuta desde la altura, rodeada de un rimero de valles y montañas, con el río Urubamba envolviendo la idílica escena.

El descenso era peor aliado para el vértigo, por lo que Alberto bajó con cautela, valiéndose incluso de su trasero para evitar un traspiés. Después de haberse elevado hasta la cumbre, ya no temía la bajada, la confianza en sí mismo aumentó y subió de escalafón.

Cuando culminó el descendimiento, reconoció la espalda de René, que estaba sentado en una escalinata, toqueteando su móvil.

—¿Cómo ha ido? —indagó René.

—Estoy molido, pero ha sido espectacular.

—Pues todavía nos queda llegar hasta Aguas Calientes para finalizar la jornada.

Alberto resopló. Necesitaba descansar un poco.

—No te preocupes, es broma —admitió René—. Bajaremos en el autobús.

Volvieron al hostal, en el que Alberto estaba alojado, concediéndole René una hora para ducharse y reponerse del esfuerzo. Posteriormente, quedarían para almorzar en un restaurante local, antes de coger otra vez el tren para hacer el recorrido a la inversa y terminar en Cusco nuevamente.

A la hora acordada, mi padre estaba listo para dirigirse a la famosa estatua de Pachacútec, gobernante inca que ordenó la construcción de Machu Picchu, situada en el centro del pueblo, donde había quedado con René. En ese momento, recordó un elemento que le aplicó una dosis de esa realidad de la que se había apartado en las últimas horas. Sacó de su mochila el paquete que debía dejar en el buzón del hostal, antes de abandonarlo, tal y como rezaban las instrucciones que recibió. Estuvo tentado de abrirlo, pero sabía que no convenía hacerlo. No podía cometer errores, incluso había sido reprendido por el comportamiento que tuvo con el conductor el día anterior, indicio de que lo estaban observando de cerca.

Salió de la habitación con el bulto en la mano, bajó las escaleras, cruzando el recibidor hasta llegar al exterior del hostal. Al lado de la puerta de entrada se encontraba el buzón. Se aseguró de que, efectivamente, correspondía al alojamiento y, seguidamente, oteando a su alrededor para comprobar que nadie lo observaba, lo introdujo en su interior, alejándose de allí con diligencia.

«Ya está hecho», se dijo a sí mismo. «Recibiré noticias confirmando que la entrega ha sido correcta y todo terminará pronto», especuló.

Tras encontrarse con René, este lo llevó a un restaurante de cocina típica peruana, que estaba escondido en un callejón.

—Este restaurante, como puedes ver, es bastante sencillo, pero la comida es deliciosa y nada tiene que ver, en cuanto a calidad y precio, con la mayoría de locales que hay en Aguas Calientes dirigidos a turistas —explicó René.

Ocuparon una mesa para dos personas, junto a la barra, comprobando Alberto que casi todos los comensales eran autóctonos.

René cogió una carta y comenzó a leer el menú.

—¿Has probado algún plato peruano?

—Ceviche —respondió Alberto.

—¿Dónde?

—En el hostal de Cusco.

—Entonces no lo has probado —afirmó, entre risas.

René se encargó de seleccionar las viandas, de acuerdo con su criterio, para que mi padre pudiera degustar una muestra representativa del país.

Quince minutos después de realizar el pedido al camarero, la mesa se llenó de platos: ají de gallina, anticuchos, causa a la limeña, arroz *chaufa* y ceviche.

—La gastronomía peruana es muy variada, además de los platos tradicionales, se encuentra la cocina *chifa* y *nikkei*, que son fusiones con la cocina china y japonesa —reveló René.

—Desde luego, todo tiene una pinta increíble, más aún con el hambre que tengo después de haber realizado más ejercicio que en los últimos cinco años juntos.

Acompañando la comida con la bebida peruana por excelencia *pisco sour*, comenzaron a engullir el manjar dispuesto.

—¿Disfrutaste del día? —preguntó René.

—No solo he disfrutado, podría decir que he cumplido un sueño —contestó Alberto.

—¡El sueño de vivir! —exclamó René—. Ese sueño que se encuentra al alcance y no lo alcanzamos.

Realmente, de no haber sido por el motivo real que condujo a Alberto hasta Perú, no habría conocido Machu Picchu, continuaría siendo una quimera remota, aun teniendo dinero para permitirse el viaje y salud para cumplirlo.

—Con los sueños sucede lo mismo que con el éxito, todo el mundo te dice que tienes que perseguirlos —manifestó René—. El problema está en que, muchas veces, aquello que perseguimos no es nuestro sueño, sino el de los demás, o simplemente nos vamos al catálogo de sueños estándar: una casa grande, un bonito coche, un trabajo en el que ganes mucho dinero, quizá encontrar el amor...

Alberto divagó en silencio, verificando que, en su caso, sí reunía el inventario al completo y, en cambio, no se sentía una persona exitosa, o tal vez era un fracasado disfrazado de éxito.

—Este catálogo se encuentra en el exterior, te puede hacer la vida más placentera o más fácil, darte satisfacción temporal, pero solo te hará feliz si realmente esos sueños están en tu interior, por eso es importante escoger bien —expuso René—. Puedes ir a una tienda y comprarte las bonitas zapatillas que le gustan al tendero o las feas que te gustan a ti.

Posiblemente lo que siempre había hecho Alberto, elegir lo que le gustaba a otros.

—Para ser feliz tienes que hacer cosas que te transmitan felicidad —indicó René—. ¿Sabes cuáles son esas cosas?

—Supongo que sí —respondió Alberto, con escasa convicción.

—¿Las haces?

—No.

—¿Por qué?

—Sinceramente, porque no tengo tiempo.

—Entonces continuarás sin tener tiempo para ser feliz —remachó René—. Es tu vida y es diferente, ni mejor ni peor, solo distinta y única. Un sueño puede ser aprender a bailar, subirse a un escenario, tocar el piano, pintar un lienzo, correr una maratón, escribir un libro, bucear, un paseo diario por la playa… Comerte un bocadillo de salchichón en la cima del Huayna Picchu, como has hecho hoy. —Terminó de enumerar el listado, sonriendo—. Y tú tienes que saber cuáles de ellos son para ti, que la mayoría de las veces, conforme avanza el tiempo, serán aquellos que ya tenías y no veías.

De eso sí se había dado cuenta mi padre, recuperar lo que había perdido era su auténtico sueño en este momento.

—¿Sabes con qué sueño yo ahora? —preguntó René.

—No.

—Con estar de nuevo con mi hijo.

Alberto estuvo a punto de gritar «igual que yo», pero se reprimió justo antes de pronunciarlo.

—Está trabajando en Europa, se fue a Berlín hace solo tres meses, y estoy ansioso por volver a reencontrarme para pasar los días junto a él —indicó—. Cuando estábamos unidos no lo pensaba, no era mi sueño porque ya lo tenía. Por eso es importante verlo y valorarlo mientras lo posees, porque casi nada es para siempre y tocará perder en múltiples ocasiones.

Cuando Alberto se casó con Marta, sí creyó que sería para siempre. Todavía seguía teniendo claro que había sido con la persona acertada, la que continuaba amando, aunque no hubiera valorado ese amor cuando lo tenía a su alcance…, aunque la hubiera perdido. Nada más percatarse, borró esa última afirmación de su cabeza rápidamente, sin darle el alimento suficiente para que se convirtiera en creencia.

—A todos nos gusta ganar —dijo René—. Pero es perdiendo cuando más aprendes. Eso no significa que elijas perder, solo que, cuando inevitablemente pierdas en cualquier aspecto, aprendas de ello para ganar en la próxima.

Alberto tenía la sensación de que no había aprendido nada de las pérdidas, le pasó primero con Toni y más tarde con Marta, confirmando la condición humana de tropezar varias veces en la misma piedra. Quizá empezara a ser el momento de cambiar el enfoque. Posiblemente la piedra no podía apartarse, siempre seguiría en el mismo lugar, pero él sí tenía la posibilidad de pasar junto a ella sin chocar.

—Tenemos que irnos —anunció René, mirando su reloj—. El tren sale en media hora.

Desde la estación de Aguas Calientes, llegaron a Ollantaytambo, donde recogieron el coche de René, para hacer el trayecto de regreso hasta Cusco, llegando a su hostal a las nueve de la noche.

—Ha sido un auténtico placer —dijo Alberto—. No sé cómo agradecértelo.

—Diciendo gracias —respondió René con sorna.

Mi padre se dio cuenta de que advertía una sensación nueva para él, se estaba emocionando al despedirse de una persona que conocía de dos días, aunque también se había enamorado de Machu Picchu y solo lo conocía de unas horas.

Subscribiendo lo que el propio René le dijo, había congeniado con él más que con muchos «amigos» de la infancia, y es que la amistad no consiste en llegar, sino en quedarse.

Sellaron la partida con un intenso abrazo, seguramente el último, seguramente inolvidable. Posteriormente giraron su camino, René subió a su coche y Alberto accedió al hostal.

—¿Qué tal? Bienvenido de nuevo —dijo la recepcionista.

—Muy bien, gracias.

—Por cierto…, ¿dónde la he dejado? —se preguntó, buscando algo bajo su mesa—. Aquí está.

Le entregó un sobre con su nombre inscrito en la parte frontal.

—¿Quién te ha dado esto? —inquirió impaciente Alberto.

—No sabría decirle, un chico moreno y bajito.

La descripción no era muy concluyente, que podría acercarse a la de, prácticamente, cualquier peruano.

—¿Pero no podrías indicarme algún detalle más concreto?

—Tendría unos veinticinco años, llevaba una camiseta blanca... No me fijé más.

—Vale, está bien, no te preocupes —señaló Alberto, aceptando que no lo identificaría con esos datos—. ¿Me puedes dar la llave de la habitación?

La chica le proporcionó la llave de una nueva habitación situada en la primera planta, que minimizaba el esfuerzo para trasladar su equipaje, algo que le venía bastante bien después del duro día.

Nada más entrar en el dormitorio, se despojó de los bultos y se apresuró a abrir el sobre para examinar su contenido. Extrajo una nota que contenía:

Mañana comienza la próxima misión.
A las 12:00h serás recogido en el hostal.

«¿Próxima misión? ¿De qué narices están hablando?», refunfuñó mi padre, que cada vez entendía menos qué querían de él.

El desconcierto se acrecentó en el instante que avistó otro documento y comprobó que se trataba de un billete de avión, pero no de regreso al lugar de origen.

21

Por fin llegó la mejor noticia desde que se inició el secuestro, ya que tendría la oportunidad de hablar con mi padre. Aunque únicamente sería un minuto, para mí era tiempo suficiente para hacer dos cosas que ansiaba: escuchar su voz y decirle que lo quiero.

Pasando las horas, sin apenas distracciones, tenía sobrante tiempo para aclarar ideas y tomar perspectiva desde la distancia, siendo esto precisamente lo que más me asqueaba, esa maldita distancia entre nosotros, a la que me había propuesto poner fin.

Añoraba las tortitas con chocolate, los debates futbolísticos, las barcas del Retiro o los espectáculos de magia en la Latina. Cosas sencillas, que cada vez me parecían más importantes, porque su valor no radicaba en hacerlas, sino con quién las hacía. Estar con mi padre me gustaba demasiado como para hacerlo tan esporádicamente.

Cuando esta historia termine, y volvamos a estar unidos, no contestaré «me da igual» cuando me pregunte qué quiero que me regale; no le diré «no me importa» cuando intercambie nuestro fin de semana por negocios; no elegiré el silencio cuando me diga «lo haremos otro día».

Cuando, por fin, seamos libres no consentiré las excusas, no volveré a conformarme con migajas, hablaré más y callaré menos, pediré más tiempo como presente y no dejaré que la prudencia de decir lo correcto enturbie la potestad de expresar lo que siento.

—Te quiero, papá —pronuncié nada más ponerme al teléfono, sin importarme si era adecuado comenzar así la conversación, sin experimentar la vergüenza que me había impedido unir esos vocablos, anteriormente, de forma natural. Lo dije sin pensar, solo sintiendo. Y me alegré de haberlo hecho.

22

En el aeropuerto de Cusco, atravesando el *hall* de salidas, Alberto recibió una llamada telefónica. Rápidamente soltó su equipaje y sacó el móvil del bolsillo. Su corazón se disparó al visualizar en la pantalla que se trataba de un número oculto.

—¿Quién es? —preguntó Alberto, con voz trémula.

—Felicidades. Has cumplido la misión a la perfección. —Escuchó procedente de una robotizada voz.

—¡¿Dónde está mi familia?! —reclamó Alberto, alterado.

—Están bien.

—¡Quiero hablar con ellos!

Durante unos segundos no hubo respuesta ni réplica por parte del interlocutor, lo que le hizo creer que la comunicación se había interrumpido.

—¿Hola? ¿Hay alguien? —indagó ansioso.

Alberto escuchó una voz distinta al otro lado del teléfono. Su rostro fue atravesado por una lágrima, que surgió súbitamente y se precipitó en caída libre hasta quedar atrapada en la comisura de los labios, cuando reconoció el origen de esta voz.

—Te quiero, papá.

—¡Hijo mío! ¿Cómo estás?

—Estoy bien, no te preocupes.

—¿Y mamá?

—También —dijo Marta, que estaba escuchando la conversación—. Los dos nos encontramos perfectamente.

—¿Seguro?

—Sí, te lo aseguro —respondió mi madre.

—¿Y os tratan bien?

—Sí, son amables con nosotros —confirmó Marta—. Nos han prometido que si haces lo que te piden, nos dejarán libres.

—¿Pero dónde estáis?

—No puedo hablar más.

—Espera un momento, dime algo, cuéntame más cosas...

La llamada se cortó en ese instante, sin una despedida previa. Justo a los cincuenta y ocho segundos desde su inicio.

Mi padre se quedó con ganas de más, le faltaron respuestas, aunque había obtenido la más significativa, le afirmaron que se encontraban perfectamente, y no solo fueron sus palabras lo que le tranquilizó, también el tono apacible de sus voces.

Todavía emocionado, recogió sus bultos y se dirigió hasta el mostrador de la compañía para comenzar el proceso de facturación de su nuevo destino: La Habana.

23

Conforme avanzaban las horas, la ansiedad iba en aumento y mi madre comenzaba a confabular malos presagios, resultándole posible descansar solo cuando recibía alguna información sobre el paradero de Alberto, entonces, exhalaba un suspiro de sosiego, aminorando la preocupación.

Marta confiaba en mi padre y en que cumpliría con éxito el cometido que le había sido encargado por los secuestradores, aunque era inevitable la inquietud que le generaba la ausencia de noticias. Quería saber sobre él, asegurarse de que no existían vicisitudes, y la mejor forma era escucharlo directamente de su boca.

Por eso, cuando confirmó, a través de esa llamada, que Alberto estaba a salvo, sintió un profundo alivio.

24

Después de caminar, desorientado, en dispares direcciones, descentrado por la conversación que había mantenido y no podía quitarse de la cabeza, mi padre localizó el mostrador de la compañía Copa Airlines.

—Buenos días, me puede facilitar su pasaporte —solicitó el chico que le atendió.

Alberto lo colocó sobre el mostrador.

—La tarjeta turística, por favor. —Volvió a requerir.

—¿Tarjeta turística? ¿Qué es eso?

—Es una especie de visado necesario para visitar Cuba.

Alberto no tenía idea de lo que le estaba hablando.

—¿Y qué pasa si no la tengo?

—No le podemos dejar volar, porque al llegar allí no le permitirían entrar en el país.

—¿Pero no hay forma de arreglarlo?

—Sí, caballero, se la puedo expedir yo.

«Pues haber empezado por ahí», rumió Alberto.

El muchacho rellenó los datos necesarios y le entregó la tarjeta turística cubana. Alberto pagó la tasa correspondiente por obtenerla y pudo finalmente realizar la facturación. Miró su reloj y se alegró de tener tiempo suficiente para tomar un nuevo café a solas, ese gran descubrimiento.

En la primera cafetería que encontró, se sentó en una de las mesas altas, que lindaba con el pasillo de tránsito de pasajeros, pudiendo disfrutar tanto del café como de la observación distante, otro elemento novedoso para él, que comenzó a atraerle.

Hasta ahora había sido incapaz de mirar a su alrededor, siempre estaba hablando o contemplando una pantalla, no se había percatado de que en su entorno suceden cosas y el espectáculo suele ser interesante.

Cuando estuvo en París, le sorprendió que muchas terrazas estuvieran dispuestas mirando hacia la calle, como si se presenciara un desfile. Las sillas no se encontraban enfrentadas para ver solo la cara de tu acompañante, sino que estaban de frente a los viandantes, para que tus ojos fueran testigos de lo que acontecía al otro lado.

No entendió esa distribución, más allá del puro cotilleo, recordándole cuando de pequeño sus vecinos se sentaban a «tomar el fresco» en el pueblo, atentos a todo el que pasaba. Podía comprender que en un sitio con pocos habitantes, donde todo el mundo se conoce, sucediera esto, pero... ¿en París?

Después de pasar treinta minutos en el aeropuerto, silente, captando los detalles que le envolvían, entendió el motivo y se dio cuenta de que no se trataba de cotillear, sino de aprender.

Una discusión de pareja, un hombre partiéndose de risa por teléfono, una maleta solitaria en medio de la sala, un grupo de estudiantes uniformados con la misma camiseta de fin de curso, una conversación... No solo la vista, también los oídos cobraron protagonismo. A su lado estaban dos mujeres, que parecían madre e hija. La más joven le comentaba que lo importante en los negocios no era lo que vendieras, sino cómo lo vendieras.

«Puedes tener el mejor producto del universo, que si no lo vendes convencido, no convencerás al otro».

Esa sencilla lección, que había escuchado gratuitamente, a Alberto le costó mucho tiempo aprenderla, pero realmente era así. Cuando empezó a trabajar de comercial, hace años, no entendía muchas veces por qué no cerraba ventas de artículos que consideraba fantásticos. El género era bueno, el precio también, sin embargo, no captaba la atención del comprador. Hasta que, de forma autónoma, aprendió lo que la chica esbozó, y comprobó que a la gente es más fácil convencerla si tú estás convencido de lo que dices. Esa era la clave, si crees que es bueno y muestras convicción vendiéndolo, está vendido. La diferencia entre el éxito o el fracaso, no solo depende del producto, también del embalaje.

Un mensaje aislado de una desconocida, en una cafetería, puede llevarte a ganar dinero, si lo escuchas. Había descubierto que exponer los sentidos al exterior era una forma muy eficaz de aprender.

Se le pasó media hora fugazmente, saboreando el café en pequeños sorbos, dejando su mente en pausa para accionar los ojos y oídos, desconectado, tranquilo, presente.

Lamentablemente, mantenerse presente no siempre era posible para mi padre, y recordó que tenía un trabajo que llevaba días sin atender.

Encendió su teléfono móvil, que lo había tenido apagado desde la noche anterior para ahorrar batería, ya que se dejó olvidado el cargador en el hostal de Aguas Calientes. Chequeó el correo electrónico y encontró otros seis *mails* nuevos, que se sumaban a los anteriores. Prefirió no abrirlos para no verse en la tesitura de responderlos.

Posteriormente, constató que tenía un mensaje de texto que revelaba siete llamadas perdidas, provenientes del teléfono de la gerencia del hotel de Toledo, que pertenecía a la cadena que dirigía y estaba bajo su tutela. No solo eso, le había entrado un *whatsapp*, hacía seis horas, del presidente de la empresa hotelera, algo que era inusual, de no ser que se tratara de un asunto muy importante.

Dudó antes de abrirlo, realmente no quería saber qué ocurría, bastante tenía con solucionar el tema que le ocupaba como para preocuparse por otras cuestiones laborales.

El peso del remitente le forzó a leerlo: *Buenos días. Se ha producido un incendio en el hotel de Toledo. No sé dónde te encuentras, pero tienes que desplazarte hasta allí lo antes posible. Es muy urgente. Gracias.*

A Alberto no le pillaba precisamente cerca Toledo, aunque tampoco sabía qué excusa inventarse, por lo que decidió mantener la original: *Hola Roberto, disculpa por no haber respondido antes. Lo siento pero tengo que quedarme con mi madre en el hospital, haré lo que pueda, pero creo que me resultará imposible.*

Pagó su café y comenzó a andar hacia la puerta de embarque. Nada más llegar y colocarse detrás del último pasajero, recibió respuesta de Roberto: *Ya no hace falta que vayas, he tenido que desplazarme yo desde Valencia. Por cierto, quiero que me mandes en 24 horas el certificado de la hospitalización de tu madre.*

Releyó el mensaje varias veces, pensando qué contestación podía darle. Justo entonces se hizo el llamamiento de embarque para el primer trayecto del viaje hasta Lima, después haría escala en Panamá y, desde allí, tomaría el vuelo a La Habana. Su familia estaba secuestrada y le esperaba una larga travesía, no podía y no quería distraerse con otra cosa.

Sabía que lo que estaba a punto de hacer tendría consecuencias, pero su prioridad en este momento era otra. El vuelo estaba poco concurrido y la fila avanzaba con rapidez, no tardaría en entrar al avión.

Mi padre, con firmeza, tomó la decisión final, apagó el móvil y lo guardó en su bolsillo. Él mismo se sorprendió de la acción realizada. No sabía si correcta, pero sí un acto que rara vez había hecho: lo que le apetecía.

25

Lo que peor llevaba de la reclusión era el aburrimiento, y también el calor veraniego, que empezaba a convertirse en un problema para dormir por las noches. Teníamos una ducha que únicamente vertía agua fría, lejos de tratarse de un inconveniente, era un bálsamo poder refrescarnos antes de ir a la cama.

La comida estaba bien, un poco repetitiva, pero en cantidad suficiente, incluso excesiva para la nula actividad desarrollada. De seguir así, seríamos las únicas personas que han engordado durante un secuestro.

Las mañanas las dedicaba a leer. En la habitación había una estantería con libros de todo tipo. A mí me interesaban principalmente los de historia, siempre que tuvieran ilustraciones. También leía novelas que no fueran muy extensas, incluso me atreví con la poesía. Resultaba curioso que nunca leía los libros que me mandaban en el instituto y, sin embargo, me zampaba estos que nadie me decía que leyera. Quizá era por eso, porque era yo quien los escogía.

El día era largo y tenía que administrar los recursos lúdicos para mantenerme ocupado el mayor tiempo posible. Tenía folios y lápices de colores, también una baraja de cartas, que me permitía jugar a la brisca con mi madre, hacer solitarios o practicar el único truco de magia que me sabía.

El elemento estrella era un viejo dominó multiusos, con el que podía jugar, hacer torres y construcciones, serpenteantes filas para activar su efecto, formar letras y números... Es increíble el poder que tiene la imaginación cuando se ejercita.

De esta manera, entre los barquitos, pajaritas y aviones de papiroflexia, que Marta me enseñó, los dibujos que pintaba, los juegos de naipes y el polifacético dominó, amenizaba las tardes.

No había mucha diferencia con el confinamiento vivido, años atrás, a causa de la pandemia. Ahora dormía menos y no estaba conectado tecnológicamente, subsistía sin móvil, videoconsola e internet, algo impensable para un adolescente, y doy fe de que se puede sobrevivir.

Me costó mucho más acostumbrarme a su ausencia, esa diferencia sí que fue palpable. En el confinamiento estaba pegado a mi padre y, ahora, permanecíamos más distantes que nunca.

26

A las siete de la tarde aterrizó en la capital cubana, con un retraso de dos horas. Alberto estaba agotado y todavía no sabía que tendría que esperar una maleta que no salía de la cinta transportadora del aeropuerto. Al principio no estaba preocupado, porque había pasajeros del mismo vuelo que seguían igualmente aguardando, pero cuando la dilación fue excesiva, se comenzó a inquietar.

—Disculpa, ¿es normal que tarde tanto? —preguntó Alberto a un chico que tenía al lado, y recordaba haberlo visto previamente en el avión.

—Esto es Cuba, compadre —respondió—. Aquí el reloj lleva otro ritmo.

Cuarenta minutos más tarde, en los que únicamente vio dar vueltas a las mismas maletas una y otra vez, se sentó en el suelo. Todavía tenía las rodillas doloridas de la paliza física en Machu Picchu.

Repentinamente, llegaron multitud de pasajeros de un nuevo vuelo que, en poco tiempo, lo rodearon. La cinta se paró y no sabía si eso era buena o mala noticia. Se puso en pie, para no ser pisado por los transeúntes que se amontonaban, impacientemente, en busca de un hueco.

La cinta volvió a activarse y comenzaron nuevamente a fluir bártulos sobre ella. Ahora se habían acumulado los equipajes de dos vuelos diferentes y salían indistintamente sin ningún orden. Cada vez quedaba menos gente procedente de su avión, y ya dudaba seriamente que fuera a aparecer porque, aunque el reloj en Cuba llevara otro ritmo, una hora y media para recoger su equipaje mostraba evidencias de que el reloj, más que otro ritmo, estaba parado.

Lo más extraño es que los nuevos viajeros, que acababan de llegar, pescaban su equipaje rápidamente, mientras Alberto de desojaba buscando un bulto de color verde turquesa, que estaba desaparecido. Finalmente, pareció asomar ese color. Se acercó hasta él, siguiéndolo con la mirada para no perderlo, atento a que continuara su curso y ninguna mano lo interceptara. Abriéndose paso, pudo agarrar la maleta de una rueda y estirar de ella para atraparla. Se cercioró de que, efectivamente, se trataba de la suya. Respiró aliviado.

Accedió a la sala de llegadas, buscando con su mirada a algún conductor que lo estuviera esperando con un cartel indicativo, al igual que en Perú, aunque después de tanto tiempo de retraso, no era de extrañar que se hubiera desesperado y marchado a su casa.

Se sorprendió porque, instantáneamente, divisó su apellido en un cartel grande, de color azul y letras blancas, que se leía claramente desde la distancia.

Mi padre acompañó al chófer hasta el coche que, una vez dentro, puso rumbo a la dirección que le había sido enviada por su agencia.

—Ya hemos llegado —confirmó, aparcando en doble fila, frente a lo que se intuía una residencia particular.

—¿Esto es un hotel? —consultó Alberto, suspenso.

—No es un hotel, es una casa vacacional.

—¿Y eso qué es? ¿Un apartamento?

—Una casa de una familia que alquila habitaciones.

—¿Pero la familia también está?

—Claro, es su casa —indicó el conductor, sorprendido por tener que hacer una aclaración obvia para él.

Alberto bajó del coche y tocó el timbre de la puerta.

—¡Buenas noches! —saludó efusivamente una sonriente mujer, nada más abrir—. Pasa, pasa... Te estábamos esperando.

Caminaron hasta el recibidor de entrada, en el que había una mesita con algunos mapas y folletos, además de una antiquísima televisión apagada.

—Es tarde e imagino que estarás cansado, así que mejor hacemos mañana el registro de entrada.

—Por mí, perfecto. Te lo agradezco —anotó Alberto.

—Por cierto, ¿has cenado? —tanteó la anfitriona.

—Sí, he comido en el avión, la verdad es que tengo más sueño que hambre.

—Muy bien, pues entonces te acompaño a tu habitación para que descanses.

Avanzaron por un extenso pasillo que comunicaba con un patio interior.

—Esta es la sala de desayuno —informó, al pasar por el patio—. ¿Te parece bien tomarlo mañana a las nueve?

—Sí, me parece buena hora —confirmó Alberto.

Continuaron transitando, juntos, hasta que llegaron a un salón que hacía de distribuidor con tres salidas. La casa era mucho más grande de lo que parecía desde el exterior. Prosiguieron por el ala derecha hasta que la mujer se detuvo, sacó un manojo de llaves de su bata y abrió una puerta.

—Este es tu dormitorio —dijo, exhibiendo su interior.

La habitación era amplia y coqueta, con una cama enorme, que fue lo primero en lo que se fijó mi padre.

—A las nueve el desayuno y, después, mi marido te enseñará La Habana —comentó, sujetando la manivela de la puerta—. Por cierto, mi nombre es Camila, para cualquier cosa que necesites me avisas, hasta la una de la madrugada suelo estar despierta.

—Muchas gracias. ¿La contraseña wifi me la podrías dar?

Alberto quería revisar su teléfono para ver si existía algún mensaje de los secuestradores, con nuevas indicaciones, ya que todavía no sabía cuál era su cometido en La Habana.

Por otro lado, aunque apenas había pensado en ello, el ultimátum que le había enviado Roberto, el presidente de su empresa, en cierto modo le preocupaba, y consideró que no estaría de más suavizar un poco la tensión pidiendo de nuevo disculpas y preguntando por el incendio, para que vieran que se interesaba y tal vez, de esta manera, el requerido certificado de hospitalización de su madre quedaría en el olvido.

—¿Contraseña del wifi? —reiteró Camila, para cerciorarse que era realmente lo que había escuchado.

—Sí, por favor.

—Verás, internet en Cuba no es como en tu país, aquí el acceso es mucho más complicado —explicó—. Tienes que comprar una tarjeta y después ir a un punto habilitado de la ciudad para conectarte.

—No sabía nada.

—La situación antaño era mucho peor, últimamente hemos avanzado bastante, aunque sinceramente en nuestra casa no funciona bien —afirmó Camila—. No te preocupes porque tendrás conexión en muchos parques y en las principales plazas públicas, solo recuerda que primero necesitarás comprar la tarjeta.

—Vale, muchas gracias. Mañana lo haré.

Camila le deseó buenas noches y cerró la puerta de la habitación. Mi padre se caía de agotamiento y solo quería darse una ducha, para extinguir de su cuerpo el pegajoso calor, y tenderse en esa cama gigante a descansar anchamente.

Mientras sacaba su pijama de la maleta, escuchó unos golpes de llamada en la puerta.

—Soy Camila, puedes abrir un momento.

Alberto bajó la manivela para dejarle entrar.

—Se me ha olvidado decirte que recibimos esta carta —comentó Camila, enseñándole un sobre, de color crema, a la atención de Alberto, con su nombre completo precedido de la palabra «huésped»—. Al revisar mi marido las reservas, comprobó que se trataba de ti.

Camila depositó la carta sobre el aparador, marchándose después. Mi padre, como solía ocurrirle cada vez que recibía noticias de este tipo, comenzó a temblar, pávido por descubrir su contenido, pero también ansioso por leerlo:

Mañana tendrás el día libre, en La Habana, hasta las nueve de la noche.

A esa hora deberás estar en el Malecón, a la altura del hotel Nacional.

Tienes que encontrar a una chica morena de piel, de unos treinta años, llamada Patrice.

Sabrás que es ella porque tiene un tatuaje en su muñeca derecha de una luna.

Deberás entregarle el collar que viene en el sobre.

No puedes contarle ninguna información personal.

Alberto extrajo del sobre el collar, que iba acompañado de una pequeña tarjeta pegada con celo a este. La tarjeta llevaba escrita una frase que no le desveló nada. Todo seguía siendo demasiado extraño, ¿por qué razón tenía que venir a Cuba para darle un collar a una chica? La respuesta era un misterio. Daba igual que se exprimiera los sesos, el enigma se escapaba de su comprensión.

Introdujo de nuevo todo el contenido en el sobre y lo guardó en el bolsillo de su mochila. Cada vez estaba más perdido en relación a cuál era su papel en esta trama que estaba viviendo y, contrariamente, también le importaba cada vez menos. No necesitaba más preguntas incomprensibles, su objetivo era estar con su familia, y eso pasaba primero por encontrar a Patrice.

27

No solo había tiempo para aburrirse o tratar de entretenerse, el cautiverio también concedió un intervalo importante para pensar y recordar.

Me remonté seis meses atrás, en ese momento en el que, casualmente, desvelé un hallazgo insospechado. Tengo que reconocer que no fue solo producto de la casualidad, principalmente el descubrimiento se debió a mi curiosidad.

Puede que no estuviera bien lo que hice, quebrantar la intimidad de una persona y destapar su vida privada. Sin duda no lo habría hecho, si no hubiera sido tan fácil.

Parece increíble, pero un ordenador puede contener el resumen de una vida entera: fotos, mensajes, historias, conversaciones, secretos...

Éticamente no actué correctamente, aunque tampoco me arrepiento de ello.

28

A las nueve y media de la mañana, después de desayunar, tal y como había sido previsto la noche anterior, Ernesto, el marido de Camila, estaba preparado en la puerta de la residencia, apoyado en su flamante coche, para realizar un circuito por la ciudad y mostrarle a Alberto algunos de los lugares más atractivos de La Habana.

El Chevrolet Bel Air 1957 descapotable, que resplandecía con su perfecto encerado, encandiló a mi padre, que era un amante de los coches clásicos.

—Buenos días, amigo —pronunció Ernesto.

—Buenos días —respondió Alberto, devolviendo el saludo—. ¿Y esta maravilla?

—¿Te gusta el auto?

—¿Que si me gusta? Es una auténtica joya.

—Pues sube y vamos a probarlo —dijo Ernesto, abriendo la puerta del copiloto.

Lo que más sorprendió a Alberto fue el estado de conservación del coche, que parecía recién salido de fábrica, desdeñando los más de sesenta años con los que contaba.

Acarició la impecable tapicería del asiento, antes de sentarse, posándose con suavidad para no dañarla lo más mínimo. Casualmente, pasó por su lado un Ford Fairline y, antes de que arrancara el motor, un vetusto Plymouth se aproximaba por el carril contrario, lo que evidenció que no se trataba de casualidad.

—¿A qué se debe este desfile de automóviles? ¿Hay alguna concentración de coches antiguos? —indagó Alberto, extrañado.

—No, qué va. Son los coches de Cuba —corrigió Ernesto, iniciando la circulación.

—Pero son coches de los años 50.

—Eso es, amigo, los *almendrones*.

—¿Almendrones?

—Sí, de esa manera llamamos a los coches provenientes de Estados Unidos, de antes de los 60, que tenemos en la isla —informó Ernesto—. Los americanos se fueron, pero sus coches se quedaron.

—Es una pasada, parece que va a aparecer Marilyn Monroe en algún momento —bromeó Alberto.

—Pues espera un momentito, que lo mismo la ves pasar por la Quinta Avenida —espetó Ernesto, luciendo sus blancos dientes.

Después de varios giros, por estrechas calles, aparecieron en un gran bulevar, en el que un cartel verde, que sobrevolaba la calzada, marcaba el distintivo de Quinta Avenida. Un fastuoso paseo, con lujosas mansiones, que exhibían variados estilos arquitectónicos.

—Estamos en el distrito de Miramar, cerca de la playa. Esta avenida es una de las principales arterias de La Habana, que comunica el Vedado con la localidad de Santa Fe. Las residencias que ves fueron construidas en la primera mitad del siglo XX y, la mayoría de ellas, ahora son embajadas diplomáticas —explicó Ernesto, ejerciendo de guía.

Después de recorrer Miramar, se dirigieron a la famosa plaza de la Revolución, con su extensa explanada, que mi padre conocía de haber visto en la tele, con Fidel Castro pronunciando sus interminables discursos.

—Es una de las plazas más grande del mundo, donde se han forjado los principales acontecimientos de la revolución cubana —indicó Ernesto, mostrando orgullo en sus palabras.

Alberto se acercó al edificio del ministerio del interior, en el que había un mural enorme de la cara del Che Guevara, acompañada de su mítica frase: *Hasta la victoria, siempre.* Posteriormente, centró su atención en un edificio contiguo, en el que existía otro mural de dimensiones similares.

—¿Ese es Fidel Castro? —preguntó Alberto.

—No, muchos turistas lo preguntan —contestó Ernesto—. Se trata del guerrillero Camilo Cienfuegos.

—¿Qué significa *vas bien, Fidel*? —consultó, haciendo alusión al letrero que figuraba junto al rostro del guerrillero.

—En el discurso de Fidel Castro, en el año 59, a su llegada a La Habana después del triunfo de la revolución, en una pausa, Fidel le preguntó a Camilo Cienfuegos, que era su compañero y hombre de confianza: *¿Voy bien, Camilo?*, a lo que este respondió: *Vas bien, Fidel*, ante la aclamación y aplausos del pueblo cubano.

Ernesto, una vez más, mostró pasión hablando del pasado revolucionario de Cuba, demostrando que dominaba la historia.

A bordo del precioso Chevrolet, continuaron explorando el barrio de Vedado, haciendo paradas en la Necrópolis de Colón, la Universidad de La Habana y la Rampa, en la distinguida calle 23, aprovechando para hacer un paréntesis en la asombrosa heladería Coppelia. A mi padre le impactaron las dimensiones del lugar y la cantidad de gente que podía albergar aquel templo dedicado a los helados, o «la catedral del helado», como se la conocía en Cuba.

—Ahora te voy a llevar a visitar un lugar especial —dijo Ernesto, rebañando con la cuchara su tarrina de vainilla—. Se llama el callejón de Hamel. Es un lugar muy auténtico.

Nada más entrar al callejón, Alberto percibió que se trataba de un sitio diferente, realmente era especial.

—Este es posiblemente el foco más importante de la cultura africana en La Habana —aclaró Ernesto—. Comenzó siendo un proyecto comunitario, que fue creciendo, y ahora es un centro cultural donde conviven el arte, la religión y la música afrocubana.

Se trataba de una especie de galería al aire libre, que se caracterizaba por una explosión de color y de imaginación. A lo largo de los aproximadamente doscientos metros de longitud del callejón, se forjaba una obra de ingeniería artística, con adornadas fachadas de murales, imágenes, grafitis, ingeniosos textos y frases célebres que sintonizaban con variopintas esculturas realizadas con cualquier material desechable que, en este espacio, cobraba valor de uso para concebir la magia y crear.

Bailes y ritmos se mezclaban armonizando la estética visual, para convertir un simple callejón en una obra maestra, que fascinó a Alberto.

—Además de lo que ves, sobre todo los fines de semana, también es un lugar de encuentro donde se realizan talleres para niños, conferencias, representaciones teatrales y diferentes eventos en general —detalló Ernesto.

Saliendo del callejón, en dirección hacia el coche, mi padre presenció una escena que le llamó mucho la atención.

—¿Qué están haciendo? —preguntó.

—Son santeros, están realizando un ritual.

En un pequeño jardín, apartado del tráfico, varios hombres y mujeres, ataviados con túnicas blancas, estaban rezando al mismo tiempo que sacrificaban un animal que, desde la distancia, se intuía una gallina, algo que fue confirmado cuando, a los pocos pasos, Alberto encontró una cabeza de esta ave en el suelo, que habría corrido anteriormente la misma suerte.

—La santería es una de las religiones predominantes en Cuba —manifestó Ernesto—. Es una fusión entre el catolicismo y diferentes ritos de África. Los esclavos africanos trajeron sus tradiciones religiosas con ellos, desde el s. XVI. Como en aquel entonces tenían prohibido practicar su propia religión, encubrieron a sus dioses como figuras católicas para seguir rezándoles y poder ejercer su credo en secreto, transmitiéndolo entre generaciones, consiguiendo así su supervivencia. Hoy en día no solo es una práctica aceptada, sino que es una religión que conecta y convive perfectamente con el catolicismo.

—Entonces, ¿el catolicismo y la santería son dos religiones que se llevan bien?

—No es que se lleven bien, sino que son compatibles y es muy frecuente en Cuba personas que predican ambas religiones y comparten creencias de las dos.

De forma indiscreta, Alberto visionó el acto religioso, que resultaba usual para Ernesto, pero llamativo para alguien que veía por primera vez una sangrienta ofrenda, aunque fuera de una gallina.

—Bueno, pues ponemos rumbo al centro —comunicó Ernesto, ya dentro del coche—, comeremos allí y, al terminar, te enseñaré La Habana Vieja.

Aparcaron en uno de los parquímetros públicos, atestado de preciosos automóviles clásicos, que hacían la función de museo entre los múltiples turistas que se fotografiaban junto a ellos. Recorrieron a pie el elegante paseo de José Martí, atravesando el parque Central. Poco después, se detuvieron en uno de los iconos de La Habana, un monumento que Alberto había visto en fotografías de folletos turísticos, puesto que constituía un emblema, como así le explicó Ernesto:

—Este es el Capitolio, que fue construido en 1929 por el arquitecto Eugenio Raynieri.

—Me recuerda al de Washington —indicó Alberto.

—La cúpula está inspirada en el de Washington, aunque la que tienes delante es un metro más alta —informó Ernesto sonriente, satisfecho por superar al capitolio americano, aunque fuera mínimamente.

Continuaron paseando por los alrededores y, al pasar por un parque público, a mi padre le sorprendió que decenas de jóvenes, y no tan jóvenes, se aglutinaran allí con su ordenador portátil.

—¿Por qué hay tanta gente con ordenadores? —preguntó Alberto.

—Están conectándose a internet, ya que este es uno de los lugares de la ciudad habilitado.

Esto le recordó que tenía pendiente comprar una tarjeta para este fin.

—¿En qué tienda puedo comprar la tarjeta de internet? —consultó Alberto.

—Hay muchas, cualquiera que tenga el cartel de Etecsa. Esta tarde puedes comprarla, ahorita te llevaré a comer, que ya son más de las dos de la tarde.

Entraron en un restaurante cercano, en el que Ernesto tenía una reserva. El simpático camarero les acompañó al interior del comedor, ubicándolos en una mesa aislada, junto a la ventana.

—¿Te gusta la ropa vieja, amigo? —preguntó Ernesto.

«Prefiero la ropa nueva», pensó Alberto, sin llegar a decirlo en voz alta, puesto que intuyó, por el contexto, que se refería a algún plato gastronómico.

—No lo sé. Supongo que me gustará si la pruebo —señaló Alberto.

—Claro que sí, colega, así que come, que estás en la tela.

—¿En la tela?

—Sí, que estás muy flaco —aclaró Ernesto.

—Si me hubieras visto hace unos años no pensarías lo mismo, pesaba bastante más que ahora.

—¿Y qué pasó? ¿La mala vida?

—Efectivamente, el estrés y la dieta…, la mala vida —confirmó mi padre, sonriendo.

El mismo camarero, anterior, regresó con una carta del menú. Ernesto se encargó de pedir por los dos, y Alberto le facilitó la tarea dejándole elegir libremente.

—¿Qué quieres beber? —consultó Ernesto.

—Una coca cola —respondió ingenuamente.

—En Cuba no se vende esa *mielda yanqui* —apuntó Ernesto—. Pero tenemos la nuestra, que es mucho más rica.

—Vale, pues la vuestra, entonces. —Aceptó Alberto, asombrado porque ese refresco se haya escapado de algún rincón del mundo.

La comida fue dispuesta en la mesa y Ernesto, primeramente, sirvió a mi padre una ración generosa de cada plato, reservándose para él la comida restante.

Alberto comenzó degustando la carne desmenuzada mezclada con arroz, que eran los ingredientes principales de la *ropa vieja*, acompañando el bocado con un trago de *tukola*, que realmente era una buena imitación de la original.

—Come todo lo que puedas, y si te quedas con hambre pedimos más, no hay problema —enunció Ernesto.

Había una cantidad de comida ingente, por lo que era ya un reto terminar con la existente.

—¿Estás casado? —preguntó Ernesto de forma inesperada.

—Sí..., bueno no.

La inconclusa respuesta provocó la risa de Ernesto.

—¿Sí o no? ¿En qué quedamos?

—Ahora mismo estoy separado —esclareció mi padre.

—Comprendo... ¿Estás buscando mujeres?

—No, claro que no —respondió Aberto, al imprevisto cuestionamiento.

—Es lo que buscan muchos turistas que llegan a Cuba, por eso te lo pregunté —admitió Ernesto—. Aquí se encuentran las chicas más lindas: blancas, negras o mulatas, las hay de todos los colores.

—No lo dudo, pero no es mi caso —reiteró mi padre, tratando de eludir un tema que le incomodaba.

—No te preocupes, no pienses que lo digo porque la mujer cubana es fácil de comprar, eso ya se acabó con Fidel —aclaró—. ¿Y en qué trabajas en España? —volvió a escrutar, sin importarle comportarse de manera indiscreta.

—En un hotel.

—¿Eres recepcionista?

—Encargado —especificó Alberto, que tampoco pretendía darle muchas explicaciones.

—¡Ah! ¿Eres jefecito? —indagó Ernesto.

—Más o menos.

—¿Ganarás mucha plata, entonces?

—Lo normal —zanjó brevemente, evitando revelar detalles económicos a un desconocido, que inclusive podría tener algún vínculo con los secuestradores.

—Aquí en Cuba ganamos poco dinero, pero tenemos lo básico.

—¿Qué es lo básico? —se atrevió a preguntar Alberto, cambiando la dinámica inquisitiva.

—Tenemos sanidad gratuita, educación gratuita y hasta una libreta de racionamiento, de productos básicos, para que todo el mundo pueda comer.

Sonaba bastante bien lo que recitaba Ernesto, puesto que eran los pilares fundamentales de una sociedad.

—Contamos con la mayor proporción de médicos del mundo y la tasa de alfabetismo roza el cien por cien. La mayoría de cubanos tienen carrera universitaria, porque el gobierno subvenciona la educación y es totalmente gratis —volvió a recordar—. Tenemos comida, formación y salud... El resto para ser felices lo ponemos bailando, cantando y sonriendo a la vida.

De esto último ya se había percatado mi padre en su corta estancia, mientras él se desesperaba aguardando la maleta que no aparecía en el aeropuerto, los cubanos que estaban en su misma situación reían y bromeaban jocosamente; en las terrazas, por las que había pasado, siempre había alguna comparsa bailando y, en la calle, también era habitual encontrar bailes e instrumentos, incluso en el restaurante, donde estaban comiendo, una chica cantaba música folklórica.

—No tengo pesos cubanos, pero puedo pagar con tarjeta —dijo Alberto, una vez que terminaron el almuerzo y trajo el camarero la cuenta.

—No te preocupes, amigo, esto ya está pagado, tú solo tienes que disfrutar —expresó Ernesto, apresurándose para coger la nota, escrita a bolígrafo, que había dejado el camarero en la mesa.

Abandonaron el restaurante y, desde allí, llegaron caminando hasta La Habana Vieja, la zona histórica de la ciudad, y también la que resultó más seductora para mi padre. Lo que había visto previamente de bailes y cánticos, no era nada comparado con esta zona, donde cada esquina irradiaba música. Las coloridas casas coloniales eran testigo de echadoras de cartas, ancianas fumando puros con trajes típicos, disfraces del Che Guevara, organizados desfiles, bicicletas actuando de taxis e improvisados guateques, con múltiples turistas que se animaban a bailar con fornidos mulatos, al ritmo de maracas y trompetas. Una fiesta para los sentidos.

—La Habana Vieja fue declarada Patrimonio de la Humanidad en 1982 y es uno de los complejos coloniales más importantes de América Latina. —Aportó el dato histórico Ernesto.

Recorrieron las cinco plazas que integran La Habana Vieja, rezumando iglesias, teatros, mansiones, museos, estancos de tabaco, tiendas de suvenires, restaurantes y cafeterías a cada paso. Precisamente, fue una pequeña taberna la que reclamó la atención de Alberto, puesto que estaba abarrotada de gente, tanto dentro como fuera de la misma.

—Esa es la Bodeguita del Medio —explicó Ernesto.

—¿Y por qué hay tantas personas?

—Es un lugar mítico en La Habana, por ella han pasado incontables personalidades, como Hemingway, García Márquez, Pablo Neruda, Salvador Allende..., que han dejado su rúbrica con una foto, una firma en la pared o un objeto. Por eso hay tanta gente, porque es un sitio de paso obligado aunque, si quieres un mojito, mejor pídelo en otro sitio, aquí el precio es el doble de su valor —confesó Ernesto, mostrando su habitual sonrisa dentada.

En la plaza de San Francisco de Asís, mi padre avistó una casa de cambio de moneda, la primera que había visto en todo el día, por lo que aprovechó para convertir algunos euros en pesos cubanos. No sabía cuánto tiempo tendría que estar en Cuba y, por lo que intuía, no era un lugar donde fuera fácil pagar con tarjeta. Después de guardar pacientemente la cola, cambió doscientos cincuenta euros, que era el efectivo que llevaba encima.

—¿Quieres que volvamos ya a casa? —preguntó Ernesto—. Te he enseñado lo más conocido de la ciudad, si quieres puedes regresar y descansar.

Alberto miró su reloj, eran las cinco y media de la tarde, faltaban más de tres horas para el encuentro con la misteriosa chica, de la que únicamente sabía su nombre. En otra ocasión habría rechazado quedarse solo en una ciudad desconocida, sin un acompañante, sin un teléfono al que recurrir en caso de necesidad..., pero eso era antes. Estaba comenzando a despertar en su interior un valor del que creía que carecía, la tranquilidad de dominar el miedo y la seguridad de estar solo sin sentirse solo.

Tenía tiempo por delante para contemplar la vida en La Habana y pesos en el bolsillo para disfrutar de un nuevo café a solas.

—Me quedaré paseando por aquí y regresaré esta noche. No me esperéis para cenar —anunció Alberto.

29

En ese ordenador, que guardaba una vida, encontré un correo electrónico que me dejó perplejo y, una vez que lo leí, surgió el dilema de olvidarlo o compartirlo. Dudé bastante antes de hacerlo y, finalmente, me convencí de que era lo mejor.

Exponiéndome a ser increpado, le enseñé a mi madre el contenido de ese mensaje que había descubierto.

No me reprendió, al contrario, se quedó boquiabierta. Nunca imaginó que pudiera existir una relación oculta.

30

Mi padre se emplazó en el Malecón, de acuerdo con las instrucciones que había recibido. Llegó hasta allí en taxi, con treinta minutos de antelación, teniendo tiempo para sentarse, en el muro que separa el mar, a observar la puesta de sol como un habanero más. Progresivamente, se iban presentando chavales compartiendo música con sus atronadores altavoces; parejas que juntaban las cabezas y entrelazaban sus manos mientras veían caer el día; pescadores que lanzaban la caña sobre las sucias olas; vendedores callejeros que se acercaban, voceando su mercancía; grupos de amigos que se reunían, como no, para bailar o tocar la guitarra entonando *Guantanamera*.

El extenso Malecón iba llenándose de vida, a medida que el sol se rendía y dejaba su turno a la luna. Al mismo ritmo que el sol se apagaba, aparecían chicas jóvenes, en exceso algunas de ellas, que con apretadas minifaldas merodeaban regalando miradas insinuantes, quizá esperando que esa mirada obtuviera un guiño como respuesta, quizá deseando que ese guiño procediera de la persona correcta.

Una de aquellas chicas podría ser Patrice, a quien Alberto debía identificar por un tatuaje en su muñeca, una tarea complicada en un escenario que anegaba bullicio y oscuridad.

Se bajó del muro y rondó la zona que se extendía frente al hotel Nacional, residencia que fue anfitriona de los más ilustres invitados y, a pesar de su visible declive, su prestigio persistía, prestando alojamiento a actores, cantantes y políticos.

—Hola mi *amol*, ¿qué haces tan solo? —Escuchó Alberto, justo en el lado contrario al que miraba.

—Hola —respondió, mirando la muñeca de la chica, antes que su cara.

151

Se trataba de una muchacha delgada, bajita y con una tez sorprendentemente blanca para vivir bajo los perennes treinta grados de La Habana, pero la ausencia de tatuajes en sus muñecas, evidenció que no era la persona que estaba buscando.

—¿Cómo te llamas? —preguntó, acariciando con el envés de sus dedos el hombro de Alberto.

Mi padre se apartó instintivamente, repeliendo el contacto.

—Tranquilo, cariño, no se me ponga nervioso, que no muerdo.

—Estoy buscando a una chica —soltó directamente.

—Pues aquí tienes una bien hermosa, vamos a charlar un poquito.

—Me refiero a una chica en concreto —indicó Alberto, cortando rápidamente cualquier intención de conocerse más—. Se llama Patrice y tiene un tatuaje en su muñeca de una luna.

—No sé quién es —zanjó, aparentando malestar por sentirse rechazada.

—Necesito hablar con ella, es importante.

Mi padre sacó de su bolsillo dos billetes, de mil pesos cada uno, justo cuando la chica estaba a punto de largarse.

—Te los daré si la encuentras.

Pareció ser una considerable cantidad para rechazar la propuesta.

—Aguarda un momentito —expresó la muchacha, alejándose prestamente.

Pasados treinta y cinco minutos, cuando mi padre ya empezaba a pensar que debería intentar localizarla por otra parte, regresó acompañada de una joven morena, mucho más alta y voluminosa.

—Aquí tienes a Patrice y su tatuaje —dijo nada más llegar, cogiendo la mano de la nueva chica para mostrarle el símbolo, que llevaba en su muñeca, de una luna acompañada de dos estrellas.

—Muchas gracias —pronunció Alberto, entregándole seguidamente el importe pactado.

—Gracias a ti, cariño, que disfrutes de Cuba —añadió, despidiéndose lanzando un beso al aire, dejando solos a Patrice y a mi padre, quien no sabía por dónde empezar, ya que no podía explicarle la verdadera causa que le había llevado hasta ella.

—No sé quién eres, pero no tendré sexo contigo —espetó bruscamente Patrice, como primera toma de contacto, en una actitud defensiva provocada por la desconfianza que le generaba la situación.

—Claro que no, yo tampoco —dijo Alberto ruborizado—. Solo necesito hablar un rato.

—Muy bien, cuéntame rápido —indicó, cruzándose de brazos, manteniéndose distante.

—¿Podemos sentarnos?

Patrice no respondió, pero se adelantó para apoyarse en el muro del Malecón. Alberto la acompañó, situándose a su lado.

—No puedo darte mucha información de por qué te he buscado, solo puedo decirte que alguien que te conoce me ha enviado para darte esto —explicó Alberto, sacando del bolsillo un colgante dorado, que terminaba en un broche con una estrella, idéntica a las que tenía tatuadas.

—¿Quién te lo ha dado? —consultó nerviosa, manoseando la estrella.

—No lo sé, me han enviado para entregártelo, no tengo más datos.

—Pero..., no entiendo nada.

—Yo tampoco lo entiendo. La única pista que te puedo dar es la que venía junto al collar.

Mi padre le proporcionó una tarjetilla, que exponía el texto: *Busca en el interior de esa estrella.*

—¿Tendré que abrirla, entonces?

—No tengo ni idea a qué tipo de interior se refiere, si es simbólico o real, tendrás que averiguarlo tú misma —dijo Alberto—. Yo he cumplido con mi parte.

El colgante era lo bastante grande para poder albergar, dentro, algún mensaje o un papelito doblado. Patrice recorrió el contorno con su afilada uña, buscando alguna rendija que permitiera abrirlo pero, en la inicial exploración, no encontró ningún resquicio de apertura.

—¿Qué significa esa estrella? —preguntó Alberto.

—Esa estrella es lo que queda de lo que pensaba que era amor.

—¿Ya no lo piensas?

—No, ya no creo en el amor —confesó Patrice—. Una vez me dejé seducir por sus falsos encantos, confié en su hechizo y acabé desencantada. Ahora prefiero dar a los hombres lo que quieren y yo a cambio obtengo lo que necesito.

—¿Y por qué lo haces?

—Ya te lo he dicho, porque lo necesito. ¿O acaso crees que me gusta estar con tipos que te tratan como a mercancía o vender mi cuerpo a cambio de unos dólares?

—Perdona que me entrometa, pero en Cuba, por lo que tengo entendido, los servicios esenciales están cubiertos y existe un abastecimiento básico y todo —indicó Alberto, reproduciendo lo que Ernesto le había manifestado.

—Claro que sí, hay una canasta básica familiar, de un puñado de productos de primera necesidad, a un precio más asequible, para poder subsistir a duras penas, en el mejor de los casos, porque a la mayoría de familias ni siquiera les alcanza para eso —expuso Patrice—. ¿Supongo que también te habrán contado que la educación y la sanidad son gratuitas?

Mi padre confirmó con un movimiento de cabeza.

—Pues es verdad, así es, a cambio de contraer una deuda permanente y convertirnos en serviles ciudadanos. El gobierno trata a las personas como si fuera su amo: servicio social obligatorio, misiones, privación de derechos y libertades, control de todo lo controlable y, cómo no, los sueldos. ¿Sabes cuál es el salario mínimo en Cuba?

—No.

—Aproximadamente ochenta y cinco euros al mes.

Se quedó perplejo ante esa afirmación, de la que incluso dudó que fuera cierta y, automáticamente, se acordó de que le acababa de entregar a una chica, el equivalente a un mes de trabajo, lo que para él suponía simplemente una generosa propina.

—¿Solo?

—Pues es cinco veces más de lo que se cobraba hace un par de años, antes de la reforma monetaria —informó Patrice—, aunque con la subida de la inflación, no vale de nada... Al final, el dinero siempre va a parar a los mismos bolsillos.

Patrice se fue acalorando en el discurso.

—¡Efectivamente, estudiar es gratis en Cuba! Yo soy enfermera..., ¿de qué me sirve? Si sabes tocar un instrumento o cantar, puedes probar en la calle; si eres guapa también puedes probar en la calle... La calle es la única forma de sobrevivir para la mayoría —atestiguó Patrice.

Alberto no sabía qué decir, prefiriendo no interrumpirla y dejarla continuar.

—Por supuesto que no me gusta ser *jinetera*, me muero de asco solo con pronunciar ese nombre, que trata de encubrir otra palabra que suena bastante peor, pero significa lo mismo. ¿Porque también te habrán dicho que en Cuba no existe prostitución y está prohibida?

Mi padre eligió el silencio como respuesta.

—No existe prostitución porque no se pide dinero de forma directa, supuestamente solo coqueteamos, y eso no impide que luego tú me quieras compensar y yo también te deba compensar. Así es como funciona, se hace creer a los hombres que hay interés, una atracción, un deseo. Y en el fondo es cierto, porque estas mujeres, que ves rondando, y me atrevería a decir que la mayoría de adolescentes, viven con el mismo deseo. Cuando mantienen un encuentro no están viendo la posibilidad de ganar veinte o treinta dólares que le servirán para unos días, sino una oportunidad de que pase algo más, de salir de aquí, de que realmente se produzca amor y no sexo..., una oportunidad de ser libres. Son chicas muy jóvenes y todavía sueñan con el príncipe azul que les lleve con ellas. Yo no, supe lo que es estar enamorada…, también sufrir y decepcionarme.

El rostro de Patrice se volvió parco, había evocado un episodio que le dolía recordar.

—No sé por qué te estoy contando este rollo.

—No es ningún rollo, me encantaría saber más.

Patrice tenía más aspecto que acento cubano. Era una mujer con pronunciadas curvas y con un rostro realmente bello, que seguramente cumplía los cánones físicos, de acuerdo con las expectativas que tendrían los turistas que llegaran a La Habana en busca de relaciones fáciles y baratas. Aparentaba unos treinta o treinta y pocos años que, aun siendo lozana, posiblemente duplicaba la edad de algunas de las chicas que se exhibían a esas horas, con sus caras intensamente pintadas y su ceñida ropa, simulando ser mujeres en vez de niñas.

—Hace cinco años conocí a un chico, desde el primer día que estuve con él, supe que era diferente. En ningún momento trató de perseguir algo más que no fueran palabras o miradas. Era realmente tímido y su compañía fue muy agradable —relató Patrice—. Durante las dos semanas que pasó en La Habana, venía a verme todas las noches, siempre con la misma intención de compartir una conversación, que únicamente era acompañada de alguna caricia, un susurro en el oído, un beso en la frente..., nada más. Eso es lo que me hizo pensar que era especial, porque me hacía sentir especial.

Patrice hizo una pausa, cambiando de postura para tratar de acomodarse en el sólido asiento.

—Después de marcharse, mantuvimos el contacto por *email* y también me visitó en varias ocasiones. Yo dejé la calle, puesto que me proporcionaba, además de un poco de dinero, ropa y medicamentos cada vez que venía. Sin embargo, no estaba con él por eso, sino porque realmente lo amaba.

»La última vez que nos encontramos en La Habana, estuvimos haciendo planes de futuro para irme a vivir con él. Era una decisión complicada, no sé si sabrás cómo está el tema de los emigrados cubanos, si te sale mal puedes perder la residencia y no te dejarían regresar en ocho años. Pero como nos queríamos tanto, nada podía salir mal —manifestó Patrice, elevando sus hombros con una mezcla de nostalgia e ironía—. Imagínate lo ilusionada que estaba de empezar una nueva vida con el hombre que quería, en otro país, llena de ganas de vivir ese cuento.

—Claro, me lo puedo imaginar —ratificó Alberto.

—Permaneció en La Habana durante unas semanas, y se marchó con la intención de regresar después de verano, para ya viajar juntos y comenzar nuestra etapa en común. Continuamos hablando por correo electrónico, como acostumbrábamos, haciendo nuestros planes de pareja, ansiosa porque los meses que faltaban volaran. Él me mandó imágenes de un pequeño apartamento que había visto para alquilar, y yo le envié una foto del tatuaje que me había hecho: la luna que simboliza un sueño y dos estrellas que éramos nosotros.

»Todo era perfecto hasta que, repentinamente y sin saber por qué, un día dejó de responder a mis mensajes. Todavía no sé el motivo por el que no volvió a escribirme, por el que no regresó a Cuba, por el que las promesas se convirtieron en mentiras y aniquiló mi corazón.

—¡Qué putada! —profirió mi padre.

—Pues lo mejor está por llegar —dijo Patrice—. Poco después, me enteré de una noticia inesperada que nos incumbía a ambos. Me había quedado embarazada de él.

—¡Ostras! —soltó Alberto.

—Le volví a escribir para contárselo, en múltiples ocasiones, y tampoco obtuve ninguna respuesta. En ese momento, me olvidé del *mail*, me olvidé de soñar, me olvidé de él y me quedé sola hasta que nació mi hija, que pasó a ocupar la estrella que ese hombre abandonó —indicó, señalándola en su muñeca.

—¿Y no has vuelto a saber de él desde entonces?

—No, absolutamente nada. Durante meses seguí esperándolo, con el anhelo de que reaccionara, de que regresara o de que, al menos, hubiera una explicación..., pero no supe más. Con el nacimiento de mi hijita, tuve que retornar a lo que había dejado, yo podía comer una vez al día, pero ella no. Me volví a sentir sucia, a llorar frente al espejo cada vez que llegaba a casa con el maquillaje movido —confesó—. Solo lo hago de forma esporádica, cuando la necesidad aprieta, para obtener lo justo para pasar el mes. Desde entonces, suprimí la palabra amor de mi vida, simplemente tengo contactos puntuales en los que no dejo escapar ni un solo sentimiento, soy una mera actriz.

Alberto fue consciente de que a él le había sucedido algo parecido, decidió vivir reprimiendo sentimientos, creyendo que si no sentía tampoco habría cabida para el sufrimiento. Este viaje le estaba transformando y, por primera vez en mucho tiempo, tras años insensible, tenía claro lo que quería, estaba seguro de su objetivo y no le importaba sufrir para conseguirlo. Había vivido de espaldas al amor, al igual que Patrice, pero precisamente la posibilidad de perderlo para siempre fue el empujón que necesitaba para luchar por recuperarlo y volver a creer.

Miró su reloj, comprobando que eran las doce de la noche. Tenía que regresar a la casa donde estaba albergado y se olvidó de pedir una llave, por lo que tendría que llamar a la puerta de entrada para que le abrieran.

—Es muy tarde, me tengo que marchar —dijo Alberto—. Agradezco que te hayas abierto interiormente y me contaras tu historia.

—La llevo mucho tiempo guardada, a veces es más fácil abrirse a un desconocido.

—Entiendo que estés decepcionada y dolida, pero hay puertas que no debes cerrar para siempre —recomendó Alberto, haciéndose valedor de ese consejo para sí mismo—. Espero que te vaya muy bien y encuentres lo que crees que perdiste.

Alberto metió la mano en su bolsillo y sacó un manojo de billetes.

—Es lo que puedo darte, unos tres mil pesos que me quedan.

—Ni hablar, no lo aceptaré —negó Patrice—. No he estado actuando para dar pena. Lo que te he contado es real y no una farsa para conseguir tu compasión.

—Lo sé, por eso quiero dártelo, para que sepas que ser real tiene premio —repuso.

Patrice sonrió ante el comentario, aunque continuó manteniéndose esquiva.

—Vamos, cógelo —insistió Alberto, depositándolo en su mano—. Considéralo un regalo para tu hija.

Mi padre se despidió de Patrice y, de nuevo, cogió un taxi para llegar hasta el alojamiento. Aprovechó en el trayecto para revisar el cada vez más olvidado móvil. Seguía sin internet, aunque la línea de teléfono sí tenía cobertura, y comprobó que había recibido un mensaje de texto del mismo número oculto. Rápidamente lo visionó, leyendo la misiva:

Ya queda menos para concluir.
Mañana deberás estar, con la maleta preparada, a las tres de la tarde en la puerta de tu alojamiento.

Alberto supo que algo nuevo le deparaba, pero esta vez no tembló ante la incertidumbre y, si faltaba menos para terminar, estaba dispuesto a continuar hasta el final, o aprovechando que estaba en el hogar del Che Guevara: *Hasta la victoria, siempre.*

Patrice se mantuvo erguida, observando como aquel hombre, que acababa de conocer, se alejaba sembrando una pequeña duda acerca de lo que creía enterrado. Se asustó porque había vuelto a sentir algo, aunque solo fuera un volátil síntoma de ilusión, y eso no le interesaba, ella prefería ser una mujer fuerte y de corazón férreo.

Contempló de nuevo el colgante de esa estrella, que conocía demasiado bien. Una estrella de cinco picos redondeados, como las de los dibujos animados. Una estrella que, de acuerdo con el mensaje del remitente, debía buscar en su interior.

Cogió del suelo una piedra con suficiente consistencia para romperla, sin importarle hacerlo, porque esa estrella para ella ya estaba quebrantada, perdió su valor y su significado. Por eso, apoyando el colgante en el muro del Malecón, la golpeó con fuerza, justo en el centro. En el primer impacto, la estrella se deslizó, dividiéndose en dos mitades, quedando al descubierto su interior. Con cuidado, para no romperlo, sacó un pequeño papel doblado. Leyó las minúsculas grafías que contenía y, en pocos segundos, su corazón arrancó la coraza adquirida durante años. Volvió a llorar de emoción…, volvió a sentir amor.

31

Después de indagar no solo en esa vida ajena, sino también en la suya propia, Marta decidió apostar de nuevo por el amor verdadero.

Cuando mi madre me contó su propósito, no me pareció acertado, incluso intenté quitárselo de la cabeza. Más tarde, se convirtió en una partida de difícil pronóstico, aunque no dejaba de ser un reto, una moneda al aire en la que podía salir cruz, pero también cara.

Si arriesgas puedes perder pero, si no lo haces, siempre tendrás la duda de qué habría pasado.

Podía ser una locura, no obstante, mi madre creía en el amor y este, a veces, carece de cordura.

32

Al día siguiente, por la mañana, mi padre se levantó temprano y regresó al centro de La Habana para aprovechar las últimas horas en esa apasionante ciudad. Esta vez no precisó de guía ni acompañante, a pesar de que Ernesto se ofreció. Su seguridad iba en aumento y prefirió perderse por La Habana Vieja, haciendo prácticamente lo mismo que el día anterior, pasear por las mismas calles, contemplando los mismos monumentos y el mismo escenario, pero con distintos actores, otras sensaciones y percepciones.

Le vino a la cabeza la camiseta que su hermano le regaló, tras su paso por Tailandia, que llevaba inscrita una frase en inglés que, según le explicó Toni, se utilizaba allí habitualmente: *Same same, but different*. Una cita a la que no le encontró ningún sentido entonces, en cambio, en este momento cobró total significado y Alberto comprendió que lo que estaba presenciando, efectivamente, era lo mismo, pero diferente.

De nuevo saboreó un café a solas, que volvió a ser especial, porque no se trataba de saborear un café, sino un instante en el que sus sentidos embebieron la envoltura que le rodeaba, encontrando sosiego, contemplación, sonidos y también silencio, descubriendo su entorno y a sí mismo. Ese era el premio de despertar y percibir su interior desde el exterior, aprender a estar a gusto consigo mismo y disfrutar de ese desconocido al que, poco a poco, iba cogiendo cariño y se estaba convirtiendo en un buen compañero de viaje.

Deambulando por las atestadas calles, encontró azarosamente una tienda de Etecsa —la empresa de telecomunicaciones cubana que posee el monopolio de internet—, recordando que dentro podía comprar una tarjeta para poder navegar. Cuando se acercó a la entrada, observó que había una cola de espera de unas veinte personas.

Eran las doce y media de la mañana, comprar la tarjeta, buscar un sitio para conectarse y ponerla en funcionamiento agotaría las dos horas que le quedaban libres. Un tiempo precioso que no estaba dispuesto a perder. Internet seguiría estando más tarde, este momento era para La Habana y se merecía apurar la despedida.

Tampoco le inquietó el incipiente pensamiento de culpabilidad, que le sobrevino, por haber desatendido radicalmente su trabajo, ya que además de no haber enviado un certificado médico, inexistente, a su mandatario, como le fue solicitado, tampoco se había dirigido a él de ninguna forma. Ni una llamada ni un mensaje para tratar de justificarse. Sin embargo, lo que debería ser angustia e inquietud para Alberto, se había convertido en una indiferencia que descartaba cualquier fluctuación que le apartara de inhalar hasta el último soplo del presente, desplazándose de un lado para otro, asimilando cada detalle del espectáculo al aire libre que discurría frente a sus ojos, sintiendo en minutos más que en meses de rutina.

Ese era el crucial cambio que estaba experimentando, había sustituido pensar por sentir, por eso, a pesar de las circunstancias que le afectaban, inmerso en un proceso de rescate que había emprendido aisladamente, se encontraba cada vez más sereno y confiado en que iba por el camino correcto y, simplemente, quería vivir ese camino, sin distracciones, dedicándose a seguir las indicaciones que le llevaran a la codiciada meta.

Con unos minutos de antelación, llegó a la que había sido su morada en Cuba, para poder despedirse de sus anfitriones y prepararse para el próximo envite. El equipaje lo había dejado organizado antes de irse, por lo que tuvo tiempo suficiente para degustar un sabroso sándwich cubano, que Camila había elaborado, antes de que el conductor llegara para recogerlo y llevarlo a otro lugar que todavía desconocía.

—¿Adónde vamos? —preguntó Alberto, una vez acomodado en el asiento trasero del viejo Lada.

—A la terminal 3 del aeropuerto —respondió el conductor—. ¿Es correcto?

Mi padre tardó en responder, puesto que esta vez no tenía ningún billete de avión ni información sobre el destino al que se dirigía.

—¿Estás seguro de que es al aeropuerto? —volvió a cuestionar.

El chófer sacó un arrugado papel de la guantera, que parecía una reserva, en la que figuraba el nombre y primer apellido de Alberto en el encabezado y, en la línea de debajo, aeropuerto José Martí, como destinación.

—¿Hay algún problema? —tanteó extrañado, conduciendo con la mano izquierda, mientras que con la derecha le mostraba el estriado documento—. Son los datos que me ha dado mi compañía de transporte.

—Vale, está bien, al aeropuerto entonces.

No volvieron a intercambiar más palabras hasta que llegaron a la terminal. El conductor nada más estacionar, descendió del coche para ayudarle a descargar los bultos. Mi padre le dio los últimos pesos que le quedaban en el bolsillo como propina y cruzó la puerta de acceso, para adentrarse en el interior de un aeropuerto en el que debía esperarle un avión anónimo.

—¡Socio! ¡Un momentito!

Alberto se giró al escuchar los gritos que provenían de una conocida voz.

—Vaya despiste, casi se me olvida, este sobre es para ti —dijo el conductor, aproximándose.

Lo recibió con sorpresa y, antes de que reaccionara, el conductor ya estaba despidiéndose.

—Tengo el coche mal aparcado —indicó, alejándose presto—. ¡Que tengas un buen viaje!

Mi padre permaneció pasmado, sujetando con parsimonia el sobre que acababa de recoger. Cuando recuperó la movilidad, lo rasgó por un lateral y sacó el pliego que llevaba dentro, revelando el vuelo que tenía que coger. El estómago se le removió y el sudor circuló por su frente al conocer el destino que le deparaba. Un destino muy especial, no solo para él.

33

Creer en el amor no equivale a saber lo que significa, y lo cierto es que Marta había tenido una visión un poco idealizada del concepto, o más bien equivocada. Le costó tiempo comprenderlo, había sido muy dependiente de otra persona y, erróneamente, concibió que su propia vida pendía del otro.

Después de un año sin su calor, acostumbrándose a lo que no deseaba, experimentaba en su interior la aguda urgencia de tocarlo, de estrecharlo entre sus brazos. El deseo volvía a ser mucho más poderoso que la razón y lo cierto es que, en este momento, lo quería a su lado, y quería que fuera ya.

A pesar de este anhelo, el trabajo interior, realizado durante su ausencia, no se había desmoronado y algo importante había aprendido: seguía pensando en Alberto, continuaba amándolo..., aunque no solo a él.

No fue sencillo pero, con el tiempo, mi madre comenzó a amarse también. Ahora, por fin sabía que nadie podía hacerla feliz, serlo o no serlo dependía exclusivamente de ella, siendo consciente de que ni Alberto ni cualquier otra persona debía quererla más que ella misma.

34

Después de realizar una larga escala en Toronto, llegó a ese lugar con el que tantas veces había soñado y que estuvo tan cerca de alcanzar, junto a su hermano. El aeropuerto Indira Gandhi de Delhi le dio la nocturna bienvenida, pasadas las once de la noche.

Realizó los trámites aduaneros y, una hora después de haber puesto los pies en India, se adentró en la sala de llegadas, donde no tardó en encontrar a un hombre con bigote, de piel marrón y tupido pelo negro, que exhibía en una cartulina su distintivo.

Este hombre, que se presentó con el nombre de Chandra, le ayudó con el equipaje y, juntos, descendieron por el ascensor que les condujo hasta el aparcamiento.

—Te llevaré a tu hotel para que descanses —dijo Chandra, en un español bastante aceptable.

Alberto había perdido la noción del tiempo, le costaba calcular cuántos días llevaba viajando de un extremo a otro del mundo, acumulando miles de kilómetros, intensas experiencias y mínimas horas de sueño. Pese a ello, mantenía la energía y su cuerpo se había acostumbrado a funcionar sin apenas dormir.

Al salir del aeropuerto con el coche, a mi padre le sorprendió la lujosa autopista por la que rodaron, que chocaba con las previsiones que tenía. Grandes hoteles, centros comerciales y torres de edificios bordeaban los márgenes que transitaban. Conforme se acercaban a la zona más antigua de la ciudad, el panorama fue cambiando gradualmente y, cuando se adentraron en el céntrico barrio de Old Delhi, las expectativas se hicieron más reales, proyectando sus ruinosas construcciones, asfalto totalmente cuarteado por las lluvias, colgantes cables de la luz enmarañados y suciedad, mucha suciedad, palpable incluso con la tenue luz de las escasas farolas.

Esperando en un semáforo, mi padre digirió una desagradable escena. Se había fijado previamente en los abundantes cuerpos tendidos en los soportales, que abrazaban la calurosa noche con el suelo como colchón; en las esquinas henchidas de ancianos y tullidos limosneando; en los andrajosos niños que correteaban, con sus pies descalzos, entre la amalgama de vehículos. Sin embargo, su corazón se encogió cuando discernió que uno de estos niños zigzagueaba entre los coches, desafiando el peligro, portando un bebé, de meses, encima. Ese niño se acercó y se colocó al otro lado del cristal, el que separaba no solo a dos personas, también a dos universos. No tendría más de diez años, y llevaba sujeta, en su brazo izquierdo, a esa pequeña criatura que lloraba desconsoladamente, mientras que el brazo derecho lo usaba para gesticular, llevando los dedos a su boca para expresar, sin palabras, que tenía hambre. Alberto pulsó el botón de bajar la ventanilla para darle unos euros, pero no funcionaba. El niño daba golpes en el cristal, enseñándole la carita sollozante del bebé. El semáforo se coloreó de verde y Chandra aceleró.

—No les des nunca nada —dijo Chandra. —Que había bloqueado la ventanilla a propósito.

—Pero…

—Si le das una moneda le estás enseñando a mendigar.

—Pero… ¿y el bebé? —preguntó Alberto.

El bebé es solo un cebo —reveló Chandra—. Una moneda hoy es matarlo de hambre mañana.

Después de surcar una retahíla de callejuelas, el coche se detuvo frente a un desgastado edificio, con su fachada parcialmente derruida.

—Es aquí —comunicó Chandra.

A mi padre le impresionó el aspecto del chamizo cochambroso que tenía ante sí, que únicamente tenía de hotel el cartel que lucía sobre la puerta. Un hombre dormía, tendido en la pequeña escalinata exterior de entrada, utilizando de almohada uno de los escalones, ajeno a las voces acaloradas que propinaban otros dos sujetos situados en la esquina aledaña, en lo que parecía una discusión. Si a ello se le añadía el lúgubre acceso, salir del coche se convertía en un acto heroico.

—¿Cuántas noches estaré aquí? —consultó Alberto.

—Solo esta noche —respondió Chandra—. Mañana te recogeré a las ocho de la mañana para visitar Delhi y Agra.

—¡¿Agra?! —sondeó Alberto para verificar lo que acababa de escuchar.

—Sí, Agra… La ciudad del Taj Mahal.

Chandra lo pronunció como si tal cosa. Seguramente para él se trataba de un simple monumento, sin embargo para mi padre era «el monumento».

Con cautela bajó del coche y transportó su equipaje hasta el supuesto hotel. La puerta estaba cerrada. Llamó repetidas veces al timbre, pero nadie abría. Chandra ya se había marchado y solo escuchaba los gritos de los individuos que seguían discutiendo, o tal vez hablaban fuerte, pero le intimidaban igualmente.

Se había sobrepasado sobradamente la medianoche y ya temía que, al igual que el hombre que reposaba en el suelo, tendría que acomodarse en otro de los escalones que quedaba libre para pernoctar.

Probó una vez más, esta vez golpeando fuertemente con su puño la puerta. A los cinco minutos, cuando ya estaba perdiendo la esperanza, apareció una silueta, supuestamente de mujer, ataviada con una túnica y un velo que solo dejaba entrever sus ojos. Esa sombría aparición, en medio de la oscuridad, le hizo plantearse si era más seguro entrar o quedarse fuera.

—¿Esto es un hotel? —preguntó Alberto en inglés.

La mujer pareció entenderle y le invitó a entrar con un gesto. Una vez dentro, su percepción mejoró favorablemente. Todavía distaba de parecer un hotel, pero la pequeña recepción estaba reformada y, al menos, se podía intuir remotamente que se encontraba en un hospedaje.

Al terminar de rellenar una ficha de registro, con los datos de su pasaporte, la señora de rostro oculto le entregó la llave de la habitación. Subió al primer piso y, cuando abrió la puerta, no fue precisamente agradable lo que vio. Realmente era un zulo sin ventanas, con olor a humedad y bastante repulsivo en general, especialmente la cama, con unas sábanas que tenían manchas de cualquier día del año.

Serían solo unas horas para tratar de pestañear un poco y, después de casi veinticuatro horas despierto, tampoco podía ponerse delicado. Extendió una toalla, que llevaba en su maleta, encima de la cama y se tumbó sobre ella, evitando el contacto con el mugriento ropaje que la cubría.

Comenzó a desabrochar los botones de su camisa, dejando el torso desnudo. Se imaginó que no era él, sino Marta quien desabotonaba la camisa. Ella estaba tendida a su lado, besuqueando su cuello al mismo tiempo que lo iba despojando de la ropa. Antes de llegar al último botón, vislumbrando el sensual ensueño, se quedó plácidamente dormido.

35

La fantasía proporcionaba la dosis de energía suficiente para soportar los tediosos días, siendo habitual recurrir a ella para resistir la espera.

Esa mañana, Marta cerró los ojos y visualizó una posibilidad diferente, con un futuro distinto al que, ineluctablemente, se estaba fraguando, cambiar la historia y escribirla basada en sus sueños e ilusiones. Forjar un horizonte en el que sean más importantes los sentimientos que las obligaciones, los actos que las dilaciones.

Por esa razón, escogió ese regalo para ella aunque, para poder abrirlo, mi madre sabía que hacía falta cambiar, empezar, volver a sentir. Comprendía que no se podía comenzar desde la mitad del camino, era necesario desandar lo andado e inventar una nueva ruta, desconocida e inexplorada.

Pero eso, únicamente, sería posible si antes encontraba él su propio regalo.

36

A las siete y cuarto de la mañana, Alberto se emplazó para desayunar en una salita que había junto a la recepción. La cama de la habitación era incómoda y el calor sofocante, más aún al no existir ventilación en su interior, sin embargo, había dormido ininterrumpidamente, de forma tan profunda que, cuando el despertador de su móvil sonó, no sabía si estaba en India, Perú o Cuba.

En un *thali* le fue servido el copioso desayuno, que llevaba, entre otras cosas, arroz, verduras, pan, un guiso de lentejas, salsas y especias, sobre todo esto último. A partir de ese momento, aprendió que antes de pedir cualquier comida en la India, debía pronunciar la frase mágica: *not spicy, please.* Era la única forma de poder degustar los platos típicos, sin abrasarse la boca por el picante.

Varios entrantes, que tenían una pinta estupenda, apenas pudo probarlos por este motivo, aunque se sació a base de pan, que era una auténtica delicia, vaciando la panera de los sabrosos *naan* y *roti*, en los que untó mantequilla y mermelada casera, como complementos perfectos.

Terminó el desayuno con un potente café y se aproximó hasta la salida, encontrando en la puerta a Chandra que estaba, junto a otro hombre, sentado en una especie de moto-carruaje de color verde.

—¡Buenos días! —saludó con énfasis Chandra—. Sube al *tuk tuk*, que nos vamos de paseo.

Chandra le cogió la mano para ayudarle y, a continuación, ascendió sentándose a su lado. El conductor de aquel peculiar vehículo arrancó y comenzó a rodar por el escabroso asfalto, botando continuadamente, como si estuvieran en una atracción ferial.

—Vamos a recorrer un poco la vieja Delhi, para que sientas su energía —comentó Chandra.

La pericia del piloto era digna de admiración, esquivando a diestro y siniestro, teniendo que lidiar con motos, bicicletas, vacas, perros y personas por todas partes. El suelo ya no concentraba cuerpos tendidos, como en el anochecer, sino pies de miles de viandantes que colmaban las calles, cruzando sin ningún temor a ser atropellados, ni siquiera miraban cuando la bocina sonaba justo a su lado, no se detenían en ningún momento una vez que iniciaban el paso, porque hacerlo era, paradójicamente, lo que podía provocar la colisión. El interminable sonido de cláxones, al contrario del uso que se le da normalmente en occidente para increpar al peatón, aquí servía solamente para avisar, pero nadie frenaba su marcha, todos se movían en una comparsa anárquica y, sin embargo, libre de percances.

A Alberto, como a la mayoría de personas que visitan la India, también le llamó la atención que las vacas fueran parte esencial de la población y estuvieran presentes en las calles de forma intocable, sobre todo en un país donde el hambre asoma con frecuencia.

—¿Por qué las vacas son sagradas y no se pueden matar para comer? —cuestionó Alberto.

—Si las mataras para comer, sucedería lo mismo que si le das una limosna al niño de ayer: pan para hoy y hambre para mañana —explicó Chandra—. Una vaca proporciona muchos más recursos viva que muerta.

Alberto recordó que había leído, en la universidad, un libro del antropólogo Marvin Harris que, efectivamente, apuntaba a la misma teoría y, según sus estudios, la sacralidad de las vacas, aunque parecía asociada a la religión y el hinduismo, realmente se fundamentaba más bien en una función práctica y de supervivencia, puesto que una vaca viva proporciona leche y productos derivados de esta, fuerza motriz a través de los bueyes y, con sus excrementos, se consigue combustible, cemento y fertilizante. Además, no compite con los humanos, puesto que es un animal herbívoro que se autoalimenta de desechos de cultivos no comestibles por el hombre. Teniendo en cuenta todo esto, quizá no era tan descabellado dejarlas vivir.

—Esa ciudad amurallada, que puedes ver delante, es el Fuerte Rojo —informó Chandra, aproximándose el conductor a sus impresionantes muros externos—. No lo visitaremos, porque esta tarde iremos al de Agra, que es mucho más importante.

El *tuk tuk* continuó danzando entre los innumerables obstáculos que se topaban en su camino, hasta que llegamos a un monumento de dimensiones asombrosas.

—Esta es la mezquita de Jama Masjid, una de las más grandes de India, construida bajo el mandato del emperador mogol Shah Jahan, el mismo emperador a quien se debe el Taj Mahal.

Bajaron del vehículo y se dirigieron andando hacia una de las puertas de entrada, ascendiendo la escalinata que le precedía y atravesando el arco que comunicaba con el gigantesco patio central.

—En días señalados, aquí se reúnen hasta veinticinco mil fieles —comunicó Chandra.

La explanada era enorme, vigilada por un estanque, en el centro, que representaba la paz en medio del bullicio constante de personas, que no había cesado desde que salió del hotel.

Continuaron hasta el edificio principal, rematado por tres cúpulas de mármol y la custodia de dos empinados minaretes a los extremos. Aunque lo más espectacular para mi padre fue la puerta de ingreso, tan enorme que tuvo que juntar su cuello con la espalda para poder admirarla por completo.

—Espera un momento —dijo Chandra, justo antes de acceder—. Tienes que quitarte los zapatos, y necesitarás esto para cubrir tus piernas.

Chandra rodeó la parte inferior del cuerpo de Alberto, que portaba pantalón corto, con una especie de pareo que sujetó en su cintura, a modo de falda larga.

—Entra veinte minutos para verla, te espero aquí.

Mi padre, una vez dentro del recinto de culto, paseó libremente por sus galerías, formadas por prolongadas secuencias de arcos de estilo islámico, en las que concurrían turistas con devotos orando, arrodillados en las rojizas alfombras.

Concluida la visita, regresaron al *tuk tuk*, donde esperaba el conductor, en cuclillas, con sus nalgas casi tocando el suelo. Una postura tan compleja como habitual para los indios, por lo que Alberto había podido observar durante la mañana.

—La próxima parada es el mercado de Chandni Chowk, que está muy cerca de aquí —expuso Chandra, después de hablar con el conductor en hindi, seguramente para proporcionarle la misma información.

Comenzaron a recorrer la avenida principal, que posee el mismo nombre que el mercado, y el magnetismo comenzó a fluir, aumentando a medida que se adentraban por las angostas calles perpendiculares y la red de callejones que se extendían sin límite. Lo de menos para mi padre era lo que se vendía allí, que por otra parte era todo lo imaginable, el espectáculo era el propio mercado. La saturación de información colapsó sus sentidos, dificultando procesar las numerosas secuencias que acontecían de forma simultánea. Durante dos horas, permaneció abstraído admirando cada detalle de aquel lugar, girando sus ojos en todas las direcciones posibles, tratando de no perder ni una sola oportunidad de asimilar la experiencia sensorial que le rodeaba. Todos los colores se mezclaban, y lo mismo sucedía con los olores: agradables y desagradables; monos trepando por los cables de la luz, que colgaban a la altura de las cabezas; voces entremezcladas de vendedores que gritaban su mercancía; la comparsa de bicicletas, viandantes y animales conviviendo en el mismo espacio; niños corriendo tras unas ratas, para juguetear con ellas entre sus manos; un hombre, sin piernas, cruzando la calle entre numerosos vehículos que lo sorteaban, mientras sus brazos hacían la función de muletas; un encantador de serpientes; carruajes tirados por bueyes; una mano que estira el pantalón de Alberto, reclamando comida; una mirada que, tras el burka, muestra los ojos más bonitos que había visto jamás… Ese caos organizado lograba provocar la magia de paralizar el tiempo y que solo existiera ese momento, único e imborrable, descubriendo que la diferencia es bella y otorgándole un conocimiento que no se enseña en la universidad, sino en la calle.

La curiosidad de Alberto se estimulaba a medida que la exploración le presentaba situaciones comunes, que habitualmente concurrían allí, pero constituían una novedad para él. Esa curiosidad era el único motivo que podía romper el silencio, cuando una fisgona pregunta irrumpía ante un hecho que se escapaba de su comprensión.

—¿Por qué está en muchos sitios la esvástica nazi? —consultó, extrañado de haberla visto no solo colgando de coches o fachadas de casas, sino también en imanes o llaveros como suvenires.

—La esvástica no es un símbolo nazi, sino que ellos se apropiaron de ella —respondió Chandra—. En realidad, es un símbolo que en sánscrito significa «bienestar» y es usado desde hace más de cinco mil años en las religiones budista, hinduista y jainista. En India es un emblema de buena suerte, no de odio, como sucede en Europa.

La avidez investigadora de Alberto continuaba insaciable y, aprovechando que pasaron a su lado un grupo de hombres vestidos y maquillados como mujeres, quiso indagar sobre ello, ya que le sorprendió esto, en un país tan tradicional.

—¿Son transexuales?

—Son *hijras* —reveló Chandra.

—¿Cómo? —volvió a preguntar Alberto, al no entender el término utilizado.

—Se llaman *hijras*, también conocidos como eunucos. Es una casta que existe desde hace miles de años en India. Generalmente son hombres que adoptan el rol de mujeres, y algunos están incluso castrados. Gozaron de un buen estatus en el pasado, hasta que los británicos se encargaron de desprestigiarlos y oprimirlos.

—Vaya, qué interesante que estuvieran presentes, tantos años atrás, sin ser discriminados por la sociedad.

—Fueron muy valorados y respetados, rodeándose con altas esferas y alcanzando importantes posesiones y cargos.

—¿Y en la actualidad?

—Ahora mismo, por supuesto, no tienen el mismo prestigio ni consideración que antaño, aunque sí están integrados, incluso en 2014 se les otorgó el reconocimiento de tercer género, como personas que gozan de un género distinto al masculino y el femenino, quedando esto reflejado hasta en su pasaporte —concretó.

A Alberto le impresionó que ese logro se hubiera producido en un país dominado por las religiones, con un conservador sistema de castas, y todavía no fuera posible en muchos otros países que alardean de modernidad.

—Tenemos que irnos —indicó Chandra—. Hay que llegar a Agra con tiempo para poder visitar el Fuerte Rojo.

Mi padre no había comprado absolutamente nada, pero había disfrutado muchísimo más que cargando con decenas de cosas que no necesitaba. Le habría encantado continuar allí, deambulando sin rumbo o sentado en la acera, simplemente viendo pasar la vida, porque eso es lo que tenía frente a él, miles de vidas.

El *tuk tuk* les llevó hasta el coche de Chandra, que estaba aparcado en una calle alejada del viejo Delhi y, en solo veinte minutos, parecía que hubieran avanzado un millar de kilómetros, para acceder a una zona que nada tenía que ver con la anterior, como si se tratara de dos ciudades distintas, o más bien dos mundos distantes. Las callejuelas se convirtieron en grandes avenidas, las casas ruinosas en modernos edificios y los pequeños puestos de especias en centros comerciales, demostrando que el contraste era una tónica característica de Delhi.

Antes de iniciar el trayecto de más de doscientos kilómetros que separaban Delhi de Agra, realizaron unas rápidas paradas para apreciar dos emblemas de la ciudad, como la Puerta de la India y el famoso Qutab Minar que, con sus setenta y dos metros, se erigía como el minarete de ladrillos más alto del mundo. Después de admirar estos monumentos, finalizó la corta estancia en la capital india, para cambiar de ubicación y acercarse al hogar del Taj Mahal.

Si pasear por las calles resultaba asombroso, no lo era menos hacerlo por las carreteras. Desde que cogieron la autopista Taj Express, mi padre volvió a alucinar atisbando cosas cotidianas que le costaban creer que fueran ciertas. A los pocos kilómetros, le adelantó una furgoneta que llevaba en su techo a unas diez personas. Pronto se dio cuenta de que no se trataba de un hecho aislado y el excedente de pasajeros no solo ocupaba los techos sino que, en los vehículos voluminosos, la parte trasera y lateral también ofrecían plazas libres para intrépidos viajeros, que se mantenían encaramados, ajenos a la contingencia.

Muchas de las infracciones que acaecían, ante sus atónitos ojos, en España serían un delito: utilizar la rasante para hacer un cambio de sentido en plena autopista; adelantamientos en los que pasaban tres coches al unísono; motocicletas ocupadas por cinco pasajeros y, por supuesto, ninguno con casco.

Mención especial para la conducción temeraria. La pericia que demostraba Chandra al volante era propia de un conductor de *rally*. Prácticamente conservaba la misma velocidad en autopista que cuando atravesaba alguna población, sorteando a todo bicho viviente que se le cruzara, desplazando el coche de un lado para otro, invadiendo aceras, saltándose semáforos, *stops*... Nada lo detenía y, a pesar de la temeridad, Alberto se sentía seguro.

En otro sitio habría sido garantía de accidente o, si mi padre fuera el conductor, no habría recorrido más de treinta kilómetros sin estrellarse, pero allí el riesgo se reducía, porque todos estaban acostumbrados a la misma locura controlada, a ese desbarajuste que únicamente ellos sabían ordenar. Por eso, no era de extrañar que se la conociera con el atributo de *incredible India*, ya que todo lo que sucedía era francamente increíble, difícil de ver en otra parte del mundo.

A mitad de camino, en la población de Bajda, se detuvieron en un pequeño restaurante para almorzar. Otro elemento reclamó la atención de Alberto, que le pareció estar viendo una portada del National Geographic ya que, sentados en el bordillo de una fuente, había cuatro hombres vestidos con túnicas naranjas, con extenso cabello a modo de rastas y exuberante barba. Sus rostros estaban completamente pintados de blanco, engalanados en la frente con un símbolo de color rojo.

Uno de ellos estaba fumando y, al percatarse de que Alberto lo observaba indiscretamente, le saludó sonriente, levantando la mano que portaba el cigarro.

—Son *shadus* —dijo Chandra—. ¿Quieres hablar con ellos?

—Mejor no —respondió Alberto, sintiéndose intimidado ante el aspecto que mostraban—. ¿A qué se dedican?

—A la contemplación, la meditación, yoga... Son una especie de monjes nómadas, que llevan una vida mística y han renunciado a bienes materiales y posesiones. No tienen nada y viven únicamente de la caridad.

—¿Porque así lo han decidido?

—Claro, nadie les ha obligado a ello, son libres para decidir su existencia al igual que tú —expuso Chandra—. Ellos han elegido ese modo de vida contemplativa, en la que pueden subsistir con lo justo, ya que no tienen necesidades más allá de encontrar la paz y vivir en armonía.

—¿Y no trabajan?

—Sí, pero solo interiormente —indicó Chandra, revelando un concepto de trabajo que nunca había sido tenido en cuenta por parte de Alberto—. Son personas muy respetadas en India, la gente les ayuda con alimentos y algunas rupias para comer, que es todo lo que necesitan —recalcó de nuevo.

—Y para tabaco también, por lo que veo.

—No es tabaco, sino marihuana —reconoció Chandra, sonriendo—. La marihuana y el hachís están prohibidos en India, con la única excepción de los *shadus*, que sí se les permite fumar estas drogas.

Ese nuevo dato volvió a sacudir el limitado sistema de creencias de mi padre. Le resultaba casi inexplicable que personas que no trabajan en nada porque no quieren, que viven a costa de los demás y fuman porros, se les considerara sujetos venerables. Si se lo cuentan, antes de salir de España, seguramente se le habrían ocurrido calificativos más despectivos para definirlos.

Una vez dentro del local, mi padre pidió un plato de pollo al estilo *tandoori*, indicándole al camarero la importante expresión previa a ser servido: *not spicy*, pronunciando lentamente para ser entendido. Quedó desconcertado cuando el camarero lo miró y movió su cabeza de izquierda a derecha seguidamente, plasmando negación ante su petición.

Volvió a repetir la frase, esmerándose más todavía en la dicción, obteniendo el mismo gesto como respuesta, que terminó de confundirle, y se quedó pasmado viendo cómo el camarero se daba la vuelta y se alejaba, encaminándose hacia la cocina.

—¿Acaso no es posible que la comida no sea picante? —le preguntó a Chandra, extrañado.

—Te ha dicho que sí dos veces.

—Me ha dicho que no —confirmó Alberto.

Chandra soltó una carcajada, comprendiendo la discordancia existente.

—En India, decir no es decir sí, quiero decir que balancear la cabeza de un lado a otro significa lo contrario que para ti, y aquí es un gesto afirmativo.

Alberto también se rio de la absurda confusión y, positivamente, pudo disfrutar de la ración, salvaguardando a su estómago.

Una vez concluyeron el almuerzo, retomaron el viaje fijando el rumbo hacia Agra, para la que todavía quedaban más de cien kilómetros, siendo difícil de calcular el tiempo restante, puesto que dependía de las variadas circunstancias que, conduciendo en este país, nunca se podían prever.

Dos horas más tarde, una vez superado el último escollo de una vaca tumbada en medio de la autopista, irrumpiendo ambos carriles, cortando el tráfico, sin que nadie bajara para apartarla sino que, uno a uno, los coches la iban esquivando y bordeando como podían, permitiendo que el animal reinara en la carretera, llegaron hasta los aledaños del Fuerte Rojo, recibiéndolos su altísima muralla construida en piedra de arenisca rojiza.

Entraron al interior para visitar, posiblemente, la fortaleza más importante de India. De una magnitud excelsa, destacaba por sus torres, minaretes, columnatas, palacios y edificios, que la convertían en una majestuosa ciudadela amurallada, desde donde el emperador Shah Jahan contemplaba, distanciado, el recinto que guardaba los restos de su amada, de la misma forma que Alberto lo hizo, apreciando, en uno de los balcones, la pequeña silueta del Taj Mahal, que se erigía reluciendo al otro lado del río Yamuna.

El Fuerte Rojo cerró sus puertas y Chandra condujo a mi padre hasta el hotel, situado en el cercano barrio de Taj Ganj.

—Aquí termina mi compañía —expresó Chandra, nada más parar el motor—. Mañana te queda la visita más importante, que puedes ir tú solo.

Para Alberto ya no era un problema moverse solitariamente, incluso en la trepidante India. La confianza en sí mismo era una de los pilares de la transformación que estaba palpando.

—Andando no te llevará más de treinta minutos —aclaró Chandra—. Te recomiendo que vayas a primera hora, justo antes de la apertura, de esta manera, además de ver amanecer, también evitarás a muchos turistas y podrás disfrutar con mayor intimidad.

Antes de salir del coche, mi padre lo abrazó con fuerza, de forma prolongada, juntando no solo los brazos, también sus vidas, para poder sentirlo cerca e impregnarse de la esencia que guardará en su interior perpetuamente, dejando patente en aquel abrazo otro de los efectos de su rápida mutación, seguramente la asignatura que más le costaba aprobar y, sin embargo, ahora no solo hervía amor por sus venas, también podía demostrarlo.

El hotel era mucho más decente que el de Delhi y cumplía perfectamente con las perspectivas de las tres estrellas que ostentaba. La recepción estaba repleta de turistas japoneses, por lo que Alberto se sentó, en un sofá de la sala, a esperar que se despejara.

Había disfrutado muchísimo del día y, aunque cada vez tenía más control mental, en parte este disfrute le hacía sentir culpable, porque en ocasiones olvidaba el motivo por el que estaba allí. Los días se sucedían de una forma tan intensa, descubriendo tanto en tan poco tiempo, viviendo tan rápido y, al mismo tiempo, acumulando más experiencias de las que había registrado en su existencia, que inevitablemente su mente desconectaba frecuentemente. Como si estuviera soñando o moviéndose a través de una fantasía irreal, solo percibía el momento presente, soslayando el resto, incluso, a veces, el secuestro.

Cuando la fantasía daba paso a la realidad, una vocecilla le increpaba: «no estás de turismo, tienes que estar preocupado; no puedes sentir alegría, sino miedo». Al principio esta vocecilla era muy latosa y constante, pero cuando Alberto dejó de prestarle atención fue desapareciendo, siendo el recordatorio más espaciado y, algunos días, ni siquiera hablaba.

Lo cierto es que mi padre, salvando algunos momentos puntuales, por lo general se sentía tranquilo, confiado, seguro y optimista, chocando estos sentimientos con lo que se suponía que debía experimentar, la antítesis de lo que la vocecilla trataba de convencerle. Derrotó a este diálogo interior cuando dejó de hacerle caso, porque comprendió que aquello que le decía no iba a solventar los problemas. El miedo y la angustia no le harían actuar mejor, sino errar más; preocuparse no iba a devolverle a su familia, solo paralizarle y bloquearle. La acción era el camino y, si quería realizar acciones correctas, tenía que tener la mente despejada, pensar de forma productiva, quejarse menos y moverse más, confiar en vez de titubear... Y si de esta manera también era capaz de sentir, evolucionar y vivir poderosamente, no tenía por qué renunciar a ello para conseguir su fin.

Uno de los recepcionistas se quedó libre y Alberto se apresuró a acercarse. Era un muchacho realmente simpático, que de buena gana se lo habría llevado a trabajar con él a Madrid. Después del agotador proceso de atender a tantas personas, la sonrisa seguía instalada en su semblante, hablándole con educación y delicadeza, manteniéndose paciente y dedicándole tiempo para explicarle, en un mapa, sitios para cenar, recomendaciones e información que no le había pedido y que con agrado le prestó, tratándolo como si fuera el único cliente del hotel.

Solicitó, a un compañero de cafetería, que obsequiara a Alberto con una limonada, mientras copiaba los datos del pasaporte y, una vez finalizado el registro, él mismo lo acompañó hasta su habitación, le explicó cómo introducir la tarjeta para que se encendieran las luces, la numeración del teléfono para contactar con recepción y otras cosas que Alberto ya sabía, aunque igualmente agradeció. También le dio un papelillo con la contraseña wifi, que le permitió volver a conectarse a internet, después de unos días apartado de la red.

Introdujo esta contraseña en su móvil, una vez que se quedó solo en la habitación, y súbitamente empezaron a aparecer *whatsapps* no leídos, la mayoría de ellos procedentes de improductivos grupos, por lo que continuaron sin leerse. Le sorprendió no tener ninguno nuevo de Roberto o de cualquier otra persona de su entorno laboral. Unos minutos más tarde comprendió el porqué.

Al ingresar en su cuenta de correo electrónico, no visualizó numerosos mensajes entrantes, como en veces anteriores, sorprendentemente solo había uno, aunque por el título del asunto y viniendo de parte del departamento de recursos humanos, parecía sustancial.

Cuando lo abrió, recibió una noticia que habría sido de extrema gravedad en otra circunstancia. Solo diez días antes, a mi padre se le habría venido el mundo encima después de lo que acababa de leer. Pero esos días le habían cundido como años, y esa noticia ya no tenía la misma trascendencia, ni siquiera trascendía más allá de la simple decepción del olvido. Eso fue lo único que le dolió, el olvido de todo aquello que había realizado y ahora era invisible: años de dedicación exclusivos a una entidad que no era la suya, defendiendo con tesón los intereses de otros, cuidando esos hoteles más que su propia casa, alegrándose por el éxito de sus patrones como si fuera el suyo, atendiendo tareas ajenas más que las propias, otorgándole más tiempo a otras vidas que a la suya, demostrándole más cariño a un trabajo que a su propia familia.

Todo ese empeño, esfuerzo y sacrificio ahora era exiguo, carecía de valor. De una fútil descarga lo aplastó la tormenta y redujo a ceniza aquello que construyó. Las diez frases que contenía el escrito le sirvieron a Alberto para descubrir que el olvido prevalece sobre el recuerdo.

También él fue víctima del mismo error, y se había dado cuenta de que no quería que le volviera a ocurrir jamás. Sonrisas juntos, lágrimas juntos, emociones juntos, sentimientos juntos, vivencias juntos, amor juntos..., quedaron encapotados, aniquilados de la memoria. No podía permitir de nuevo que el olvido venciera al recuerdo de esos mágicos instantes vividos con Marta, no podía consentir que dejaran de ser inmortales.

Por eso, no sintió miedo al leer unas líneas que le obligaban a replantearse el futuro y borrar la ocupación que había desempeñado incesantemente. En otro momento habría pensado que no sería capaz de empezar de cero y se habría aferrado a la súplica, como a un salvavidas, para amarrarse a lo que creía que era la única opción.

Hoy no le preocupaba buscar otra alternativa ni reiniciar, siempre que fuera al lado de la persona que amaba y no quería olvidar.

37

Los secuestradores, a menudo, hablaban de las misiones que Alberto estaba realizando y vigilaban constantemente sus movimientos para inspeccionar la situación. Conversaban, a diario, con intermediarios y examinaban su posición por GPS, conociendo en qué lugar se encontraba en cada momento, controlando así sus desplazamientos.

Se mostraban contentos, porque parecía que todo marchaba según lo esperado y mi padre estaba cumpliendo, con acierto, cada uno de los trabajos que le habían encomendado, por lo que, si todo continuaba igual, tendríamos la oportunidad de ser libres…, aunque todavía era pronto para saberlo.

38

Cuando el despertador sonó a las cinco de la mañana, llevaba un rato ansioso por levantarse. Desde el viaje de fin de curso del instituto, no recordaba iniciar el día, a esas horas, con energía rebosante. La ocasión lo merecía, puesto que iba a conocer a su amor platónico Taj Mahal, un sueño abandonado que ahora, paradójicamente a causa de un adverso motivo, se iba a plasmar.

Ya no le importaba un carajo la noticia que afrontó la noche anterior. Detrás de una caída estaba la oportunidad de coger impulso y saltar hacia delante. Derrotó al miedo porque, en este momento, Alberto tenía claro cuál era su prioridad. Por eso no temió perder, puesto que su lucha era otra, y esa batalla sí requería de una victoria.

Una vez dispuesto, bajó por el ascensor hasta la recepción y se sorprendió de que todavía estuviera Ranjit, el mismo encantador recepcionista que le atendió.

—¡Buenos días! —soltó sonriente, sin que la noche en vela le hubiera alterado su cordialidad.

Alberto saludó, exteriorizando también un gesto amable.

—¿Es posible desayunar? —consultó mi padre.

—Lo siento, la hora del desayuno comienza a las siete.

—Vale, no importa, ya desayunaré más tarde.

—Espérame cinco minutos, por favor —solicitó Ranjit, retirándose del mostrador por una puerta trasera.

Transcurrido el tiempo estipulado, regresó con una bolsa de plástico en su mano.

—Te he preparado un pequeño pícnic para llevar, con un sándwich, zumo y fruta.

Alberto agradeció el detalle que había tenido y le ofreció una propina, que Ranjit aceptó sorprendido, evidenciando que no la esperaba y que realmente sus acciones no iban motivadas buscando este fin, sino simplemente el de ayudar desinteresadamente y, curiosamente, suele ser el modo en el que más recibes.

—Hay otra cosa para ti, que anoche se me olvidó darte —indicó Ranjit, sacando un sobre de un cajón.

Alberto extendió su mano para coger ese sobre, que únicamente llevaba escrita la consigna:

Entregar en la taquilla del Taj Mahal (no abrir antes).

—¿Quién te lo ha dado? —preguntó.

—Alguien se lo dejó a mi compañero ayer, no sabría decirte quién.

Alberto intuía que la respuesta sería intrascendente, pero poco perdía por probar.

Dobló el sobre y lo guardó en el bolsillo del pantalón, junto al pasaporte.

Antes de abandonar el hotel, Ranjit le indicó, en un mapa, la ruta a pie para ir al Taj Mahal. En veinticinco minutos, con paso ligero, llegó hasta el recinto. Su vello se erizó de emoción nada más avistarlo. Al igual que le sucedió en Machu Picchu, se presentó antes de la apertura, siendo la cola bastante reducida, comprobando cómo esta se extendía, considerablemente, minutos después.

El Taj Mahal abrió y, cuando llegó su turno, sacó el sobre del bolsillo para entregarlo al hombre que se encontraba en la taquilla.

—¿Qué es esto? —preguntó con recelo.

—No lo sé… Es para ti —dijo Alberto, suspenso por el desconocimiento del receptor.

Introduciendo su dedo pulgar en la solapa, pudo abrirlo sin romperlo. Sacó unos papeles, que mi padre no pudo precisar de qué se trataban, a pesar de que se acercó lo que pudo. El taquillero los revisó, con su mirada fija, dando la impresión de que leía algo. Posteriormente, los volvió a resguardar y metió el sobre en una caja situada en la mesa que le precedía.

Automáticamente, abandonó su puesto de trabajo y salió al exterior. Su cara adusta del principio cambió por completo, tornándose repentinamente sonriente. Haciendo un gesto con su brazo, le pidió que lo acompañara, guiándolo hasta el lugar de entrada. El hombre habló escuetamente, en hindi, con el vigilante, que custodiaba el paso, indicándole una breve instrucción.

—Puedes entrar —expresó el taquillero.

—¿Pero no necesito entrada?

—No te preocupes, ya la tienes —contestó de forma cordial, manteniendo la expresión afable.

Alberto, sin entender la respuesta ni tampoco a qué se debía la marcada sonrisa que había provocado el contenido de ese sobre, prefirió no insistir más y empujó el torno de acceso, que el vigilante había activado previamente.

Ingresó por la puerta oeste, y comenzó a caminar en dirección a la luz, que se entreveía tras el impresionante arco de entrada, atravesando unos jardines dispuestos a ambos lados, confluyendo todos los viandantes en la explanada cuadrangular llamada Jilaukhana, cuyo significado es «frente a la casa», que no era otra que el Taj Mahal, puesto que desde ese lugar, aunque todavía lejano, te situabas en línea frontal con el mausoleo, permitiendo discernir ligeros vestigios de la asombrosa visión que acontecería posteriormente, escasos aunque suficientes para que el corazón de Alberto palpitara con tesón, al encontrarse en la antesala del inminente espectáculo sensorio.

El patio estaba rodeado de numerosas habitaciones y columnas de arenisca roja, formando un pórtico de arcos que, unidos a los cuidados jardines centrales, convertían el espacio en un lugar idóneo para detenerse y admirar, si no fuera por la impaciencia que provocaba estar tan próximo del principal tesoro.

Alberto se desplazó, vertiginoso, hasta la Gran Puerta —Darwaza i Rauza—, y aquí sí tuvo que pararse para contemplar sus esplendorosos veintitrés metros de altura, rematados por los peculiares *chhatris*, propios de la arquitectura hindú. Una maravilla que precedía a la magia, que comenzó a emerger progresivamente, conforme mi padre, esta vez con calma, cruzaba el interior de la puerta y se acercaba a los cuatro simétricos jardines, que simbolizaban el paraíso, separados por canales de agua, que representaban los cuatro puntos cardinales, y confluían en un estanque central, como alegoría de la abundancia. Al fondo del escenario, todavía pequeño por la distancia, resplandecía solemne la figura de la que, posiblemente, era la creación más perfecta del ser humano.

Ciertamente, si el paraíso existía, debía ser algo parecido a lo que los ojos de Alberto estaban presenciando.

Por una de las pasarelas peatonales, paralelo al canal central, avanzó hacia la meta, saboreando cada pisada, sin apenas pestañear para no perderse ni un solo instante, viendo cómo aumentaba el tamaño de la efigie blanca, conforme se aproximaba, consiguiendo atraerlo para que, irremisiblemente, se dirigiera a su encuentro. Aun así, no tenía prisa por llegar y, aunque era difícil frenar la inquietud, quería disfrutar del Edén en su conjunto.

Cuando pasó por la fuente central, donde los cuatro canales se articulaban, evocó un momento que tenía la sensación de haberlo vivido, por todas las imágenes que había visto anteriormente desde esa perspectiva.

Era uno de los sitios estrella para ser fotografiado y eso los turistas lo sabían, arremolinándose en este punto, forjaban el recuerdo con un selfi, que seguidamente sería publicado en las redes sociales para impresionar a sus seguidores. Cientos de personas exhibían las mejores poses, sin importarles perder horas en su consecución, sin importarles prestarle más atención a una pantalla que al monumento. Lo realmente interesante, para muchos de los que allí se concentraban, no era el Taj Mahal, sino la fotografía perfecta que demostrara que estuvieron allí. Alberto prefería grabar esas fotografías en su cerebro, sentir el encanto a través de los ojos y no de una cámara.

La atracción inicial se fue convirtiendo en magnetismo, derivando en hechizo cuando llegó hasta la base del Taj Mahal. La emoción incontrolable se desbordó, al concebir un instante que no podía expresarse con palabras, sino con lágrimas. Pasados unos silenciosos minutos, mirándose cara a cara, Alberto se sentó en un escalón situado enfrente, que le permitía soportar el temblor de sus piernas y centrarse latamente en la contemplación.

Comenzó a notar una energía especial, un aura exclusiva le acompañó y supo que no se encontraba solo.

—¿A qué es tan bello como te dije?

—Sí, Toni, es precioso, realmente hermoso —contestó Alberto en voz alta.

Explotó a llorar, porque percibió que su hermano estaba a su lado, acompañándole en el idilio, tal y como se habían prometido años atrás. Compartieron durante horas la experiencia, juntos, repasando visualmente cada uno de los rincones, comentando los detalles arquitectónicos, cautivados por el mismo efecto seductor, mientras que las lágrimas, incontenibles, brotaban inundando las mejillas de mi padre.

—No estés triste.

—No lo estoy —pronunció Alberto, con la certeza de que ese llanto no era de rabia, impotencia o tristeza, sino de felicidad por haber logrado el sueño, unidos.

Después de explorar cada milímetro y desde todos los ángulos posibles, accedieron al interior del mausoleo, examinando sosegadamente los cenotafios del emperador Shah Jahan y su esposa Muntaz.

Terminada la visita, abandonaron el recinto, y Alberto quiso despedirse de un modo especial. Entre los numerosos restaurantes, con terraza panorámica, que se encontraban en el barrio de Taj Ganj, escogió uno que, por altura y situación, proporcionaba unas vistas excepcionales, contando con la fortuna de encontrar una mesa en primera línea de la azotea.

—¿Qué va a tomar, señor? —preguntó el camarero, que se acercó a su mesa para atenderle.

—Tomaré un café con leche.

—Muy bien, lo traeré en seguida.

—¡Un momento! —Reclamó Alberto la atención del camarero, justo cuando se marchaba.

—¿Dígame, señor? —consultó girándose.

—Mejor que sean dos.

Y ese café ya no lo tomó a solas, sino con la compañía de su añorado hermano.

Apoyados en la barandilla de la terraza, se asomaron para conferirle un último vistazo, contemplándolo en silencio, con el mismo amor de la primera vez. Esa mirada infinita supuso el adiós de su querido Taj Mahal y el reencuentro con Toni, a quien consiguió cobijar en ese pequeño habitáculo, del lado izquierdo de su pecho, donde mi padre descubrió que las personas se vuelven inmortales

39

A pesar de que parecía que el secuestro había sido trazado de forma minuciosa y, desde nuestro conocimiento, teníamos la impresión de que el plan se estaba ejecutando a la perfección, esto no garantizaba el objetivo final y, a veces, pensábamos que ni siquiera los propios raptores tenían claro el desenlace.

Era imposible anticipar los hechos, hasta que mi padre concluyera la última misión, que determinaría el resultado y sus consecuencias.

Mi madre y yo nada podíamos hacer al respecto, solo nos quedaba esperar a que se produjera exitosamente el rescate por parte de Alberto, y confiar en que ese decisivo paquete prometiera ser el vehículo hacia la libertad.

40

Nada más llegar mi padre a la habitación de su hotel, se tumbó en la cama para descansar un poco, antes de la hora del almuerzo. Había madrugado mucho, además de que apenas pudo conciliar el sueño durante la noche.

Mientras se encontraba aletargado, su teléfono comenzó a sonar. Alcanzó el móvil que estaba en la mesita y, nada más visualizar en el visor «número desconocido», la modorra se esfumó, espabilándose inmediatamente.

—¿Con quién hablo? —preguntó Alberto.

—Papá, ¿me oyes? Soy yo, Álex. —Escuchó Alberto, derramando lágrimas por segunda vez en la misma mañana.

—¡Hijo mío! ¿Cómo estás?

—Estoy bien y mamá también.

—¿De verdad?

—Sí, te lo prometo —confirmó Álex—. Te echamos de menos.

—Y yo a vosotros… Os quiero —pronunció Alberto esas dos costosas palabras, que ahora brotaban de sus labios sin ningún esfuerzo.

—Pronto estaremos juntos —dijo Álex.

—Claro que sí, y no volveremos a separarnos —expresó Alberto, aumentando la emoción y el llanto.

Después de esa última frase, el teléfono cambió de emisor, reapareciendo la misma voz robotizada que ya escuchó en la anterior conversación telefónica que mantuvieron.

—Presta atención.

—¿Quién eres?

—No es turno de preguntas, sino de atender lo que te voy a decir —replicó la desconocida voz—. Estás ante tu última misión y también la más importante.

El pulso de mi padre se aceleró, al conocer la alentadora noticia.

—Esta tarde irás al aeropuerto y te presentarás en el mostrador de Turkish Airlines para coger un vuelo que despega a las nueve y cuarto de la noche.

—¿Con qué destino? —tanteó Alberto ansioso.

—El destino es Madrid —comunicó la distorsionada voz.

«Por fin de vuelta», caviló Alberto, animado porque percibía que el final se aproximaba.

—Cuando llegues a Barajas, encontrarás, en consigna, un pequeño paquete que deberás entregar en la dirección que se especifique.

—¿Y cómo sé cuál es? ¿Cómo la abro? —volvió a indagar, nervioso.

—No te impacientes, recibirás un código de acceso en tu teléfono móvil, con el que podrás abrirla.

—¿Una vez que llegue a Madrid? —preguntó de nuevo mi padre, que se encontraba más alterado de lo habitual.

—Eso es todo —solventó la voz—. Si actúas según lo esperado, mañana estarás con tu familia… Pero no puede fallar nada.

Después de esa última sentencia, la llamada se interrumpió.

Necesitó varios intentos para guardar el móvil en el bolsillo, debido a la convulsión que le produjo saber que, en solo un día, nuestro camino volvería a ensamblarse.

Le desconcertó un poco la última amenaza de que no podía haber fallos. Hasta ahora era una posibilidad en la que no había pensado. Simplemente se limitaba a cumplir normas, hacer lo que se le pedía, sin cuestionarse el motivo, por lo que descartó preocuparse puesto que, en esta ocasión, no tenía por qué ser distinto, ejecutaría la última misión conforme a las indicaciones.

«Mañana me encontraré con ellos», grabó en su mente, tratando de apaciguar la inquietud que le provocaba estar tan cerca.

Todavía contaba con cuatro horas libres, que aprovechó, en primer lugar, para almorzar en el restaurante propiedad del hotel, que se situaba en el edificio de al lado. De la extensa carta de platos que poseía, únicamente ingirió una especie de empanadillas, rellenas de patata y verduras, llamadas *samosas*, quedándose sin probar muchos platos que el chef le recomendó y parecían deliciosos. La llamada le había restado apetito.

Al finalizar la degustación, salió a la calle y con un desparpajo inusual, adquirido en el periplo vivido, se acercó a un conductor de *tuk tuk*, regateó el precio, como un oriundo, y fue trasladado, zigzagueando a toda velocidad, hasta el Kinari Bazar, un mercado local de la ciudad.

No era como el mercado que visitó en Delhi, pero más que suficiente para transitar por sus puestos y encontrar artesanía, joyas, telas, especias, ropa… Alberto no quería comprar nada para él, fue hasta ese lugar con la intención de llevarnos un regalo procedente de India.

Después de saber que, al día siguiente, volvería a vernos, la ansiedad había resurgido en su interior y mantenerse en el presente le resultaba prácticamente imposible. Solo quería que pasaran las horas, llegar a Madrid, terminar su cometido y juntarse de nuevo con nosotros.

Alberto seguía albergando dudas sobre cómo se produciría ese momento, si tendría que negociar algo con los secuestradores o simplemente nos soltarían sin más. Hasta ahora no le habían pedido dinero por el rescate, había viajado de una punta a otra del planeta con todos los gastos pagados, acompañado siempre de conductores o guías encantadores, que le trataron de maravilla, a cambio de cumplir unas supuestas misiones, que representaban una auténtica incógnita para mi padre.

A Marta le compró unos pañuelos de cachemir y un precioso collar tallado a mano, mientras que para mí escogió una estatuilla hecha en cobre de Ganesh, el dios de la buena suerte. De esta manera, además de adquirir los artículos, consiguió agotar el tiempo sobrante y mantenerse entretenido, calmando la zozobra que le estaba invadiendo.

Regresó al hotel para recoger sus bártulos y despedirse del amable Ranjit, el recepcionista con la sonrisa pegada a su cara. Su efímero paso por el reino de Rajastán había sido increíble y realmente le había marcado, aunque no le apenó marcharse, porque había logrado eliminar el miedo mental y aprendido a no escuchar a la vocecilla interna que le acongojaba con excusas para no perseguir sus sueños. Ahora podía afirmar, sin temor de engañar a la India, que no se trataba de un adiós, solo hasta la próxima.

41

Una vez más, hablar con mi padre me reconfortó, aunque de nuevo hubieran sido únicamente segundos.

Le dije que estábamos bien y, aunque no le mentí, lo cierto es que anímicamente estaba empezando a flaquear, cada vez tenía menos apetito y pasaba más tiempo tendido en la cama.

Necesitaba convencerme continuamente de que el fin se acercaba, para alentarme y superar la apatía que estaba sufriendo.

El ejercicio que más me ayudaba a animarme era proyectar el momento en el que Alberto cruzara la puerta que nos separaba y poder contemplar, sonriente, su sorpresiva cara.

42

El vuelo despegó con una hora de retraso, algo que no habría resultado un inconveniente, de no ser porque Alberto tenía que realizar escala en Estambul, y únicamente contaría con cuarenta minutos para pasar la aduana y llegar al avión correspondiente que le llevara hasta Madrid.

Durante las siete horas y media de vuelo, un cosquilleo en el estómago continuó cerrando su apetito, sin probar bocado de las comidas que fueron servidas. Hizo lo posible por dormir un poco, de forma infructífera, incluso probó a ver una película, del surtido catálogo que ofrecía el monitor personal que tenía a su disposición, pero tampoco logró concentrarse y tuvo que interrumpir la reproducción.

A diferencia de vuelos anteriores, este se eternizó, y aunque trataba de calmar la ansiedad, le costaba conseguirlo. Lidiando con su conciencia, llegó al aeropuerto Ataturk en Estambul. Nada más abrir las puertas, salió lo más rápido que pudo, pidiendo permiso para adelantar posiciones entre el amasijo de gente que colapsaba el paso, avanzando apuradamente, con algún que otro empujón involuntario.

Cuando llegó a la terminal, los cuarenta minutos se habían convertido en veinte. Por mucha prisa que se diera, iba a ser complicado llegar a tiempo. La única esperanza que tenía es que este vuelo también fuera retrasado, algo que descartó cuando comprobó, en una pantalla del aeropuerto, el distintivo de «última llamada», junto a su número de vuelo.

Nada más cruzar el control de pasaportes corrió, con toda la presura que sus piernas le permitieron, en dirección a la puerta de embarque. Avistó el número de la puerta desde lejos, y también observó que nadie esperaba, seguramente era el último pasajero. Realizó un esprint final, alcanzando, exhausto, el pequeño mostrador que precedía a la entrada del avión.

—Ho… hola —dijo jadeando y, a continuación, entregó a la azafata su tarjeta de embarque.

—Lo siento, la puerta ya está cerrada —comunicó.

—¡¿Cómo?! Pero si he llegado a la hora en punto —renegó Alberto, mostrándole su reloj.

—La puerta de embarque cierra treinta minutos antes, en esta ocasión hemos esperado hasta que solo faltaran diez minutos.

Alberto se estaba poniendo muy nervioso, por la frustración de estar allí y no poder subir.

—El avión no se ha movido todavía —indicó, señalando el *airbus* que permanecía estacionado, visible a través de la cristalera trasera.

—No puedo hacer nada —repuso la azafata.

—Sí que puedes, por favor —suplicó mi padre.

La muchacha pareció ablandarse, trazando un halo de esperanza.

—Un minuto —solicitó, retirándose unos metros para hablar a través de su *walkie-talkie*.

Antes del minuto regresó, meneando la cabeza de izquierda a derecha y, lamentablemente en Estambul, al contrario que en India, ese gesto inequívocamente significaba no.

—El piloto no lo ha autorizado, lo siento mucho —informó—. Vaya al mostrador de la compañía para que le reubiquen en otro vuelo o que le proporcionen una solución.

Comprendió que de nada servía continuar insistiendo o increpar a la azafata, puesto que era una decisión que no dependía de ella y, por mucho que se cabreara, no alteraría el resultado. Alejándose de la puerta, pudo observar, impotente, cómo el avión comenzaba a moverse e iniciaba su marcha.

Se plantó en el mostrador de Turkish Airlines. Después de explicar lo sucedido, comprobaron las próximas salidas con plazas disponibles.

—Tiene que ser en el vuelo de las ocho y media de la mañana —informó el responsable que le atendió.

—¡Para eso faltan todavía más de seis horas! —refunfuñó Alberto.

—Es el próximo vuelo directo hasta Madrid.

—¿No hay otra opción anterior?

—Me temo que no —indicó el muchacho, revisando de nuevo las combinaciones—. Pues no, es el siguiente vuelo, no hay ninguno antes.

A mi padre no le quedó otra alternativa que aceptar el cambio.

—Tiene derecho a asistencia y podemos trasladarle, si lo desea, a un hotel cercano para que pueda descansar unas horas o darse una ducha —comentó.

Rechazó la propuesta, no quería descansar y menos aún moverse del aeropuerto. Se acercó de nuevo a la despoblada puerta de embarque y se acomodó, tumbándose en una fila de asientos, colocando su mochila a modo de cabecera.

«No puede haber fallos», le recordó la vocecilla, consciente de que llegaría a Madrid con una demora considerable.

No había sido culpa suya, sino del que hubiera reservado un billete con tan poca antelación para completar la escala. Confiaba en que los secuestradores, que seguramente lo estaban controlando, supieran lo que había sucedido, pero... ¿y si no lo sabían?, ¿y si pensaban que había fallado?

Cerró los ojos para tratar de relajarse y aplacar el murmullo mental que, desde que abandonó India, le perseguía inapelablemente. El sonido de un mensaje de texto retumbó en su oído, ya que tenía la oreja planchada sobre el bolsillo donde se encontraba el móvil. Lo sacó de su mochila para leerlo:

Consigna Terminal 1: nº 56
Código de acceso: 68749

Era la información del casillero, en el que se encontraba el paquete de la última misión, o al menos eso esperaba.

Guardó el dispositivo y volvió a acomodarse, tendiéndose por completo. Sus pantorrillas infundían dolor y requerían estirarse para ser aliviadas. Comenzó a repasar todo lo que había vivido desde que salió de España, un ejercicio que logró tranquilizarlo. Habían sido tantas sensaciones dispares en tan poco tiempo, que era como si hubiera completado una vida en solo días, de hecho había acumulado más recuerdos, experiencias y conocimiento que en los últimos años, donde se había limitado a subsistir, haciendo siempre lo mismo, sin plantearse preguntas, sin ser consciente de que la vida pasaba ante sus ojos cerrados, sin darse cuenta de que aquello que ahora perseguía recuperar, ya lo tenía.

43

Cuando ya pensaba que el secuestro llegaba a su término y me sentía motivado porque profesaba que el reencuentro estaba muy próximo, escuché una conversación telefónica, de uno de los secuestradores, que me dejó petrificado.

Por lo que pude extraer de la misma, Alberto no había llegado en el avión en el que debía volar. Esta noticia activó las alarmas y una creciente preocupación, a medida que pasaban las horas sin novedades, temiendo que algún siniestro le hubiera impedido coger su vuelo.

Me limité a hacer lo único que podía. Agarré mi piedra mágica, apretándola con ímpetu, invocando la frase «todo está bien» una vez tras otra, hasta que logré calmarme, sintiendo esas palabras y confiando en ellas.

Horas más tarde, supe que la magia había vuelto a surtir efecto.

¿Coincidencia?... No lo creo.

44

El vuelo Estambul – Madrid despegó con puntualidad y Alberto sobrevoló Turquía, impaciente por llegar a su destino, del que solo le separaban cuatro horas.

Nada más aterrizar en Barajas, le asestó una duda, no sabía si su equipaje iría en la bodega de este avión o del que había perdido. Tampoco tenía tiempo para averiguaciones, por lo que decidió prescindir de su maleta, ahorrándose también la espera para su recogida. Ya la trataría de recuperar otro día, y si no era posible, solo era ropa que podía reemplazar, lo único que poseía algo de valor para él eran los regalos que compró en la India, y esos los llevaba consigo, en la pequeña mochila que portaba encima.

En la primera mesa de atención al cliente que encontró, preguntó por la ubicación de la consigna.

—Está situada en la planta cero, en una zona ajardinada, frente a la sala dos. —Recibió por respuesta, dirigiéndose seguidamente, con diligencia, a ese punto.

Al mismo llegar, leyó de nuevo el mensaje recibido en su móvil y buscó el casillero número 156. Introdujo el código de acceso y la puerta se abrió. Únicamente había en su interior un pequeño paquete cuadrangular, de unos diez centímetros de lado. Cuando se dispuso a cogerlo, comprobó que también le acompañaba una llave, que no sabía a qué cerradura pertenecía, hasta que se percató de que la dirección venía anotada en el llavero que la resguardaba.

Alberto se quedó de piedra, porque conocía esa dirección. Aproximadamente le separaban unos noventa kilómetros de ella. Dudó entre coger un taxi o alquilar un coche y, al advertir que no llevaba encima el carnet de conducir, se despejó la duda.

La fijación de mi padre era llegar, a pesar de que no sabía lo que encontraría. Ansiaba emplazarse en la imprevista ubicación y poner fin al cautiverio, sin temer lo que le deparara, actuando solo y desarmado, sin importarle enfrentarse al mismísimo Pablo Escobar si hiciera falta.

«¿Por qué ese lugar?», se preguntó dentro del vehículo, sin deducir el misterio.

El taxista intentó entablar conversación al principio, pero después del desinterés de Alberto por mantenerla, desistió y se limitó a conducir, primero por autovía y, posteriormente, por una carretera comarcal plagada de curvas, serpenteando rumbo a Navacerrada.

Alberto abrió la aplicación de *google maps*, en su teléfono, para verificar su localización en el mapa. Quedaban unos treinta kilómetros para llegar, aunque eran los más tediosos debido a la conducción lenta que precisaba el tramo. Pensó que sería buena idea decirle a alguien de confianza adónde se dirigía o, al menos, mandarle su ubicación, sin dar explicaciones, solo por si las cosas se torcían, que quedara constancia de su último paradero. Caviló, como posible opción, una persona que siempre lo había apoyado y que supo perdonar, incluso, lo que él mismo no se perdonó. Su madre jamás le reprochó nada, pese al dolor que le supuso la pérdida de Toni, nunca le mencionó el accidente, como si no hubiera existido. Imagino que una ausencia era suficiente, si separarse de un hijo había sido duro, más aún sería hacerlo de los dos.

Únicamente habían hablado el primer día de partida, de este insólito viaje, aunque Alberto se había acordado numerosas veces de ella. Extrañaba sentarse delante suyo para escucharla, aunque la conversación se encaminara a las cotidianas quejas, relativas al dolor de cadera y la jaqueca, por las que mi padre le recriminaba, como si él fuera el único que tenía motivos para quejarse. Hoy, hasta esas quejas echaba de menos, porque estando con personas amadas lo esencial no es el contenido, sino la música de su voz.

Finalmente, cambió de opinión, si había llegado hasta aquí solo, continuaría solo.

El paisaje, a medida que ascendían y se adentraban por la sierra, iba embelleciéndose. Un paisaje que apenas recordaba... Habían sido muchos años sin transitarlo.

—Estamos llegando —indicó el taxista.

Las rodillas de Alberto comenzaron a temblar incontroladas.

Pasados diez minutos, el coche subió una empinada pista asfaltada y se detuvo al término de la misma, frente a una gran puerta de forja negra.

—¿Es aquí? —preguntó el taxista.

—Sí, aquí es —confirmó Alberto, al reconocer la fachada.

Pagó la tarifa. El taxi dio la vuelta y se marchó. Mi padre avanzó, despacio, hacia la casa, preparándose para lo que su interior le ofreciera. La vivienda ocupaba un vasto espacio de terreno, cercada por una verja verde que rodeaba todo el perímetro. Se ensalzaba en un entorno privilegiado, en plena naturaleza, rodeada de chopos y pinos, vigilando desde lo alto de un precioso valle.

Una casa que mi padre conocía bien, a pesar de haber estado ausente, al menos, durante cinco años. Introdujo la llave en la cerradura. Abrió la puerta y entró. Comenzó a recorrer, con sigilo, el extenso patio que conducía al edificio principal. Escrutando todas las direcciones, a cada paso que daba, como si de repente fuera a aparecer un extraño, que estuviera oculto, aguardando su llegada para capturarlo.

Estaba todo muy cambiado, nada tenía que ver con la última vez que estuvo, donde prácticamente se encontraba abandonada a su suerte, con la maleza y matorrales invadiendo la superficie, que quedaba cercada por muros agrietados y desgastados. Ahora la escena era radicalmente distinta. Los muros lucían de color blanco y el suelo estaba cubierto de césped, con vivas flores, caminos de adoquines, bancos de piedra y hasta una fuente brotando agua en el centro del terreno. Alberto no entendía la transformación, incluso dudó de estar realmente en la misma casa..., en su casa.

Se trataba de una villa rural que mis padres compraron al poco de casarse, antes de que yo naciera. A Marta le hacía muchísima ilusión y adoraba este retiro. Al principio, venían todos los fines de semana y, aunque no vivía nadie en los alrededores, tampoco necesitaban gente para pasear por las verdes praderas en verano y amarillentas en otoño; para disfrutar del calor de la chimenea, mientras veían nevar tras la ventana; para contemplar la puesta de sol, tumbados sobre un colchón de amapolas; para leer un libro con los pies remojados en el pequeño arroyo, regado por el agua clara, que descendía de la montaña.

Después de que yo naciera, la frecuentaron menos, aunque todavía seguimos concurriendo durante puentes y festivos, Navidad o verano. Poco a poco, a mi padre empezó a darle pereza desplazarse desde Madrid, preparar equipaje, cargar el maletero, encender la chimenea... Aunque Marta continuaba enamorada de este lugar, Alberto empezó a olvidarse de él y finalmente sufrió el triste abandono.

Sin embargo, el abandono no era visible en este momento, revelando el exterior unas galas que no obtuvo ni siquiera en sus comienzos.

Mi padre llegó hasta la vivienda principal de la casa, dotada de dos plantas, en la que se encontraban las habitaciones y estancias. Solo tuvo que mover la manivela y empujar para abrir la puerta. Al hacerlo, percibió cómo el ritmo cardiaco se disparaba y pudo notar su corazón sin necesidad de palparlo. Asomó la cabeza, antes de entrar, giró a izquierda y derecha, pero no vio a nadie. De nuevo le sorprendió lo que encontró: el amplio salón, con estilo diáfano, estaba reformado completamente y vestía mucho más elegante.

Empezó a pensar que unos okupas habían debido usurpar la propiedad, después de tantos años desertada. Cruzó la puerta de entrada en su totalidad. Con movimientos muy lentos, accedió a su interior, ubicándose en el centro de la vacía sala, iniciando una inspección visual de la misma.

Súbitamente, escuchó un ruido procedente de la escalera que conectaba con la segunda planta. Reconoció el crujido de los escalones, que revelaban pisadas. Parecía que alguien estaba descendiendo por ellos.

Alberto contuvo la respiración, dirigió sus ojos hacia la escalera y se mantuvo expectante.

45

Por fin llegó el ansiado día en el que, supuestamente, se produciría la liberación.

Permanecimos encerrados en la misma habitación toda la mañana, nerviosos porque la espera se hacía demasiado larga y desconocíamos cuándo y cómo se efectuaría.

Pasadas las dos de la tarde, un repentino sonido nos puso en aviso, e instintivamente nos agazapamos como dos conejos asustados.

Agudizamos los oídos, percibiendo el chirriar de la puerta abriéndose, siguiéndole el eco de unos pasos, suaves pero sensibles, que atestiguaban una presencia humana en el interior.

46

A las pisadas les siguieron unos pies y después unos rostros, que no eran de okupas, tampoco de secuestradores, se trataba de dos rostros conocidos, que Alberto no sospechaba visualizar y, al mismo tiempo, era la única imagen que ansiaba encontrar.

Mi padre no corrió para abrazarnos, no gritó, no esbozó ningún sonido, se quedó petrificado hasta que bajamos el último escalón, situándonos a la misma altura, y pudo percibir que no presenciaba una ilusión, tenía ante él, inequívocamente, a su mujer y su hijo. En ese momento reaccionó, doblegó sus rodillas, justo delante, y se enganchó a nuestra cintura, colocando la cabeza entre ambos, mientras nosotros acariciábamos y besábamos su pelo.

Alberto no entendía la razón de que estuviéramos allí, tenía mil preguntas, pero estas podían esperar, porque el principal argumento se encontraba ante sí, y no quería entorpecer esos exclusivos segundos, necesitaba gozar de un intervalo que se congeló y quedó grabado para los tres.

—¿Hay alguien más con vosotros? ¿Cómo estáis? —Comenzaron a brotar interrogantes de su boca, una vez repuesto del impacto emocional.

Guardamos silencio. Mi madre y yo nos dirigimos una mirada de complicidad, acompañada de una leve sonrisa.

—¿Qué sucede? ¿Por qué no decís nada? ¿Por qué os reís? —continuó Alberto indagando, sediento de respuestas.

Esa sonrisa se hizo más marcada, contrarrestando proporcionalmente con el semblante estupefacto de mi padre, que no atinaba a comprender dónde estaba la gracia, hasta que una conexión cerebral le otorgó el posible discernimiento, incorporándose bruscamente, situándose erguido frente a nosotros.

—¿En serio? ¿Es lo que estoy pensando? —pronunció, totalmente atónito.

—Supongo que sí —respondió Marta.

—O sea, ¿que esto es cosa vuestra? —Quiso cerciorarse de una información que le obligó de nuevo a sentarse en el suelo, para no desvanecerse del asombro.

Mi padre, sujetando las rodillas con sus manos, permaneció acurrucado unos segundos, asimilando el descubrimiento. No sabía si reír, enojarse o llorar, por lo que de forma indiscriminada iba alternando estas acciones, manteniendo el pasmo de forma prolongada.

—¡Cómo he podido ser tan estúpido! —indicó, agitando su cabeza airosamente.

—El mérito es de los secuestradores —alegué, soltando una carcajada—. Han sido meses de preparación.

—¡Alucinante!, no me lo puedo creer —enunció Alberto—. Dadme una justificación, al menos.

—Es una larga historia —dijo Marta—. Seguro que estás hambriento, prepararé la comida y, después, prometo explicarte todo.

Alberto llevaba demasiado tiempo sin comer, dormir y ducharse, siendo esto último lo que más le apetecía. Por eso, no fue un obstáculo que el agua saliera gélida, para permanecer bajo el chorro durante veinticinco minutos, reponiéndose del viaje y también de las mezcladas emociones que habían desencadenado la unión, donde la alegría se posicionaba como dirigente. Las explicaciones aclararían la confusión que ahora mantenía, aunque basándose en la aventura vivida y el reencuentro familiar, existía un motivo fundado de celebración y, aunque todavía era pronto para exhibirlo exteriormente, por dentro rezumaba paz y complacencia.

Cuando regresó de la ducha, le estábamos esperando en el patio, bajo una pérgola que aportaba la sombra idónea para no asfixiarnos por el calor. Sobre la mesa había dispuesta una ensalada, filetes de merluza y una botella de vino blanco.

—Creo que voy a necesitar vino para relajarme —comentó Alberto, jocosamente, agarrando la botella.

—Bueno, papá, tú también tienes muchas cosas que contarnos —le dije.

—Sí, Álex, pero eso será en otro momento, ahora es vuestro turno. Necesito razones convincentes para que no os encierre en un manicomio —añadió, sonriendo.

—¿Por dónde quieres que empecemos? —preguntó Marta.

—Estaría bien por el principio —replicó mi padre, sirviéndose ensalada en su plato.

—El principio puede ser hace bastante tiempo —indiqué.

—Comenzaré por la primera parte, cómo empezó todo y las misiones que has realizado en cada lugar —expresó Marta, que suspiró profundamente antes de continuar—. Varios meses atrás, encontré una cosa relacionada con tu hermano Toni, que…

—Lo descubrí yo —apunté, cortando el discurso.

—Es cierto, fue Álex quien lo descubrió —confirmó mi madre—. Cuéntalo tú si quieres.

—No, mejor sigue tú —repuse.

—Que lo cuente quien sea, ¡pero ya! —expresó Alberto, ansioso de conocer la historia.

—Venga, continúo —señaló Marta—. Estando Álex comiendo en casa de la abuela…

—¿De mi madre? —Interrumpió Alberto.

—Sí, exacto —afirmó Marta—. Álex le comentó a la abuela que necesitaba comprarse un ordenador portátil, y ella le dijo que podía utilizar el de Toni, que estaba prácticamente nuevo y ella no lo iba a usar. Al principio se negó, pero la abuela insistió y finalmente aceptó. El caso es que, en el ordenador, Álex encontró mucha información que desconocíamos.

—No entiendo, ¿cómo que encontró información? ¿de qué tipo? —consultó mi padre.

—El ordenador estaba sincronizado con las redes sociales y el correo electrónico, es decir, todas las contraseñas guardadas, por lo que podías acceder directamente y ver el contenido —aclaré.

—Pero eso es información privada, no está bien hacerlo en ningún caso y menos si él ya no está. Es violar su intimidad —protestó Alberto.

—Lo sé, papá —admití—. Un día, no sé por qué lo hice, me metí en su cuenta de correo y encontré un *mail* que me sorprendió mucho. Se lo enseñé a mamá y ahí empezó todo.

—Tienes razón, seguramente no fue correcto, pero después de conocer esa información, pensé que, en este caso, el fin sí justificaba los medios y no podía quedarme de brazos cruzados —explicó mi madre—. Por tanto, continuamos investigando y averiguando más detalles que nos llevaron a trazar un plan que perseguía un propósito..., finalizar el cuento de Toni.

—Me estoy perdiendo, ¿qué información encontrasteis? ¿Por qué un secuestro? ¿Por qué yo? —indagó mi padre, ansioso de conocimiento.

—No tan deprisa, déjame que continúe —solicitó Marta—. La invención del secuestro te la explicaré más adelante, primero voy a desvelarte las misiones que has realizado.

Yo seguía la conversación, atendiendo con esmero a mi madre, impaciente porque avanzara y llegara al meollo.

—¿Te acuerdas de René? —preguntó Marta.

—Claro que me acuerdo, no creo que lo olvide nunca —respondió Alberto.

—René y Toni se conocieron hace muchos años en Perú —informó Marta—. En una excursión por los Andes, Toni resbaló por un terraplén precipitándose desde una altura considerable, quedando herido en una zona de difícil acceso. René gestionó el rescate y le salvó la vida.

Alberto no pestañeaba, escuchando el inédito relato.

—Consiguió descender y llegar hasta el lugar en el que se encontraba el cuerpo inmóvil de Toni, asistiéndolo para que no falleciera, mientras esperaba la llegada de un helicóptero para trasladarlo al hospital.

—¿Pero cómo sabes todo eso? —Interrumpió Alberto.

—He visto muchas fotos de su convalecencia en Perú y también...

—También hemos leído las conversaciones que tuvieron por *messenger* y los correos electrónicos —continué exponiendo, echándole un cable a mi madre para compartir responsabilidad en los actos perpetrados, de dudosa moralidad.

—¡Joder! —clamó Alberto—. ¿Pero qué sois? ¿el FBI?

Esa afirmación me hizo mucha risa, porque realmente, el trabajo de investigación llevado a cabo, fue propio de profesionales.

—Se empieza por un *mail* desconcertante y ya no puedes parar —indicó Marta—. Seguimos y seguimos recopilando, indagando y atando cabos, hasta que descubrimos la vida secreta de Toni, que era mucho más interesante de lo que parecía o, mejor dicho, de lo que contaba.

—Que era más bien poco —añadí.

—Bueno, continúo con el relato —dijo Marta—. Toni estuvo ingresado en Perú durante diez días, con varias fracturas, y la rotura de una costilla le perforó un pulmón, teniendo que ser intervenido en una delicada operación de urgencia.

»René estuvo todo el tiempo a su lado, durmiendo en el hospital y acompañándole durante el periodo que estuvo hospitalizado.

—Tendría que haberlo sabido para podérselo agradecer en persona —profirió Alberto.

—El plan habría fallado —señalé—. Luego lo entenderás, pero tenía que ser así, no podías saber nada.

—No solo estuvo junto a él mientras permaneció en el hospital —prosiguió Marta—. Cuando recibió el alta, René se lo llevó a su casa y siguió cuidándolo, acompañándolo a fisioterapia y ayudándole hasta que se recuperó totalmente y tu hermano pudo regresar a España.

—Es increíble lo que hizo —pronunció Alberto emocionado.

—Desde entonces forjaron su amistad, aunque fuera a distancia, escribiéndose esporádicamente. No importaba que no se vieran presencialmente, tenían un vínculo de afecto profundo, que era más fuerte que muchas relaciones que conviven en el mismo hogar.

Mi padre asintió con la cabeza, otorgando razón a Marta, fundamentándose en lo que había vivido y las relaciones establecidas durante el viaje, que seguramente nunca le abandonarían en su senda, independientemente de que no estén presentes físicamente.

—En el *messenger* de Toni pude leer, con tristeza, los últimos mensajes que René le escribió —reveló Marta—, preguntándole por qué no hablaba, por qué no respondía, sin conocer que realmente no podía hacerlo.

»Le estuve dando vueltas unos días hasta que, finalmente, Álex me animó y me decidí a responder a esos mensajes que tu hermano no pudo contestar. No estuvo bien, pero me hice pasar por Toni —confesó mi madre—. Me inventé que había tenido problemas informáticos y perdido mis contactos.

Alberto se echó las manos a la cabeza ante lo que acababa de escuchar, aunque no agregó ningún comentario.

—Intercambiamos varios mensajes, y René me contó que su hijo estaba en Alemania estudiando y que, en cuanto ahorrara lo suficiente para comprar el billete, iría con él.

—Sí, eso también me lo contó a mí —agregó Alberto.

—En ese sobre, que tú dejaste en el hostal de Aguas Calientes, estaba redactada una carta que contenía la verdad y el genuino motivo de por qué Toni permaneció ausente, acompañada de un billete de avión a Berlín para que René pudiera juntarse con su hijo, sin esperar ni un día más, porque cada día es muy valioso para él.

—Disculpa que te interrumpa —dijo Alberto—. ¿Por qué no le enviaste esa carta y el billete por correo o por *mail*? ¿Por qué tuve que ir hasta Perú para realizar algo que se podía hacer desde casa?

—Para que conocieras Machu Picchu, y también a René en persona —apostilló Marta—. Tenías que ser tú el mensajero de Toni, llevarle ese regalo antes de que fuera tarde.

— ¿Tarde? ¿Para qué? —demandó.

El semblante de Marta adquirió sobriedad.

—A René, recientemente, le detectaron un cáncer terminal muy extendido que no puede operarse ni tiene tratamiento, le quedan meses de vida. Su sueño era permanecer los últimos días al lado de su hijo... y tú lo has hecho realidad. —Finalizó Marta, con la garganta anudada.

Alberto tragó saliva. Se le escapó una lágrima que borró con su dedo índice. Recordó la energía y vitalidad de René, exteriorizando un caudal de salud, que no poseía, y amando una vida que se consumía por dentro.

—¡Es injusto! —soltó Alberto, enfurecido.

—¿Qué es injusto? —planteó mi madre, de forma inquisidora—. ¿Que René aproveche la vida o que tú la desaproveches?

Mi padre quedó pensativo, mudo ante la disyuntiva planteada. Cogió la copa de vino, moviendo el líquido que contenía airosamente, después le dio un generoso sorbo, que se introdujo en la garganta con la misma aspereza que esa pregunta en su mente.

—Es injusto que yo la desaproveche, teniéndola delante —concluyó Alberto.

47

Terminado el almuerzo, recogimos los platos y accedimos al interior de la casa, donde las anchas paredes de adobe protegían, con mayor eficiencia, del calor estival.

—¿Continuamos con la siguiente misión o prefieres echarte la siesta y descansar un poco? —preguntó Marta.

—En absoluto, me muero de ganas por saber lo de Cuba —respondió rápidamente.

—Muy bien, prepararé un café antes, aunque puede que te venga mejor una tila —dijo Marta.

—Sí, es mejor que no estés nervioso —añadí yo, sumándome a la chanza.

—No me asustéis —replicó Alberto—. Que sea descafeinado, entonces.

Los tres nos reímos, soslayando la tensión. Aunque mi padre seguía digiriendo lentamente lo que estaba descubriendo, se mostraba más relajado, una vez superado el sobresalto y la explosión de emociones concentradas.

—Lo que te voy a contar fue el principio de todo, el primer hallazgo que hizo Álex, a raíz de meterse en la cuenta de correo electrónico de Toni y leer unos mensajes que tenían a Patrice como remitente.

Mi padre dirigió su memoria directamente a esa chica que conoció en La Habana, a quien le entregó el collar con un broche en forma de estrella.

—¿Y qué tenía que ver Patrice con Toni? —preguntó.

Mi madre y yo nos miramos, manteniendo la incertidumbre de una noticia que sabíamos que iba a descolocar a Alberto.

—Estaban juntos —reveló Marta—. Mantenían una relación amorosa, incluso tenían planes de compartir un hogar.

—No puede ser... ¿Y por qué no me lo contó?

—Toni era aún más reservado de lo que creías, y lo has podido cerciorar con lo del accidente en Perú, que tampoco lo supo ni tu madre —resaltó Marta.

—Ya, pero si iba tan en serio como para vivir con esta chica, supongo que no lo iba a ocultar —especuló Alberto, en parte molesto porque Toni no hubiera depositado en él la confianza de relatárselo.

—Seguramente quería esperar a que fuera definitivo, y ella estuviera en España, para hacerlo oficial —señalé, aportando un posible argumento.

Mi padre desconectó un instante y se quedó parado, evocando la conversación que había tenido con Patrice.

—¡Un momento! Ella me dijo que se había enamorado, hacía unos años, de un chico con el que todo iba genial, hasta que un día comenzó a ignorarla y dejó de responder a sus mensajes... ¿No sería?

—Exacto —le confirmé, anticipándome a mi madre.

Alberto continuó desmenuzando en su memoria el diálogo que mantuvo con Patrice, recordando, de repente, un testimonio que floreció como una impetuosa revelación.

—Me confesó que tuvo una hija con ese hombre —pronunció Alberto—. Entonces...

—Es tu sobrina... y mi prima —volví a anticiparme, deseoso de anunciárselo.

—¡No fastidies! ¿Y Toni no llegó a saberlo?

—Lamentablemente falleció antes de que Patrice se lo comunicara —intercedió mi madre, confirmándole su sospecha.

—¡Ella sigue sin saber que Toni realmente no la relegó de su vida! —articuló Alberto, agitado—. Patrice todavía cree que él la traicionó, que la abandonó y la dejó tirada sin darle ninguna explicación. ¡Está tremendamente dolida!

—Tranquilo, ahora ya sabe la verdad… Gracias a ti —expresó Marta.

A Alberto le tranquilizó esta afirmación, aunque sentía que no era suficiente, se trataba de la pareja de Toni y de su sobrina.

—Debemos hacer algo, tiene una situación muy difícil, incluso se ve obligada a buscarse, a veces, la vida en la calle. Tengo que ayudarles.

—No te preocupes, ya lo has hecho —comunicó Marta.

—¿Qué quieres decir? ¿Cómo que lo he hecho? —sondeó Alberto, sin dar crédito a lo que escuchaba.

—El único dato que poseía de Patrice era su correo electrónico, por lo que probé a responderle a su último mensaje, en el que insistentemente reclamaba la atención de Toni y le contaba que iba a tener un bebé suyo —indicó Marta, iniciando la explicación—. Su cuenta de correo estaba desactivada y ni siquiera recibía mi envío, siempre era devuelto por el servidor. No tenía ningún teléfono ni alternativa para contactar, por lo que no había forma de llegar a ella. Así que recopilé la información, que pude obtener de los *emails* existentes, y con su nombre, la zona por la que quedaban y el tatuaje de su muñeca, fuiste capaz de encontrarla.

A medida que desvelábamos más datos, de la ardua tarea investigadora que llevamos a cabo, la perplejidad de Alberto aumentaba, encontrando trabas para encajarlo y procesar que su papel, de forma tan inocente e inadvertida, hubiera sido ciertamente relevante.

—Muy bien, entiendo, pero ¿cómo la he ayudado?

—¿Recuerdas la nota que acompañaba al colgante que le entregaste? —preguntó mi madre.

—Sí, «busca dentro de esa estrella», o algo parecido.

—Eso es, pues Patrice buscó dentro de esa estrella —informó Marta—. En una pequeña nota, oculta en el interior del broche, explicaba brevemente que el hombre a quien amaba había fallecido antes de saber que tendría una hija y, a continuación del texto, aparecía un teléfono de contacto y un correo electrónico, para que se pudiera comunicar conmigo.

—Buena jugada aunque, si llego a encontrar yo ese papel oculto, te habría descubierto —anotó Alberto.

—Estaba todo pensado, cariño —respondió sonriente—. No hacía ninguna alusión a Toni y tampoco a mí, los datos de contacto eran de mi hermana, Sara, y ni siquiera se trataba de su teléfono privado.

—Asombroso —expresó mi padre, a la vez que ejecutaba una palmada—. ¿Por qué tu hermana?

—Cuando me enteré de que Patrice era enfermera, hablé con Sara para ver si podía hacer algo y pedirle que tratara de encontrarle un trabajo en su residencia —explicó Marta—. Movió muchos hilos para ello y, finalmente, después de varias conversaciones de mi hermana con el director de la compañía y, recientemente, con la propia Patrice, consiguió el puesto en una clínica de Móstoles y, en unos meses, en cuanto ella gestione su salida de Cuba, se mudará a España.

—Y no solo ella —añadí—, mi prima Yanet también vendrá con su madre.

—¡¿En serio?! ¡Me dejáis impresionado! —admitió—. Estoy ansioso de conocer a Yanet y contarle quién fue su padre, lo mucho que la habría querido y que, aunque no pueda apreciarlo, estará cerca, velando por ella.

Cuando Alberto pronunció esas palabras, no pude evitar conmoverme. El tío Toni se quedó sin ver a su hija, y esto me apenaba, aunque de ninguna manera impediría que disfrute de lo que subsiste y, sinceramente, disfrutar de mi primita cubana me hacía muchísima ilusión.

Mi padre también aprendió que estar pendiente continuamente del espejo retrovisor, además de correr el riesgo de estrellarte, provoca que te pierdas lo que tienes delante, y ya se había perdido demasiadas cosas. No quería desperdiciar más oportunidades ni empañar determinadas situaciones, solo porque no fueran totalmente perfectas. Comprobó que a los regalos se les llama «presentes», porque es en el único tiempo en el que se pueden efectuar, aunque algunos trascienden incluso al pasado, siendo capaces de cambiar vidas y también recuerdos, como ese colgante que transformó la existencia de Patrice y el recuerdo que guardaba del hombre al que dejó de amar, para volver a amarlo.

48

Llevábamos sentados, en la misma ubicación, desde que mi padre había aparecido, por no hablar de las horas que persistí inactivo, casi sin moverme de la habitación, esperando su llegada. Por esta razón, les pedí que fuéramos a dar un paseo por el exterior, ahora que por fin éramos libres.

—Contadme primero la misión de India, por favor —instó Alberto.

—Claro, esa misión se cuenta pronto —indiqué.

—Como habrás podido observar, cada misión constituía un regalo para alguien y, en la India, también lo fue —aclaró Marta.

—¿Para quién? —indagó Alberto.

—¿Todavía no lo sabes?

—No, solamente le entregué un sobre al tipo de la taquilla que, sin saber por qué, cuando vio lo que había dentro, comenzó a reír y me dejó pasar.

Esa información nos hizo muchísima gracia, carcajeando sonoramente mi madre y yo.

Ya estamos con las risitas —enunció mi padre cariñosamente, disfrutando realmente con la alegría que desprendíamos—. ¿Qué llevaba ese sobre?

—Llevaba las entradas y un billete de cincuenta euros, con una nota que señalaba en inglés: «Esta propina es tuya solo por sonreír y dejarme entrar» —reveló Marta.

—¿Me tomas el pelo? Madre mía, pues lo aplicó al pie de la letra, con razón ese tío rio como un idiota. —Reconoció, volviendo a desatar la risotada, esta vez conjunta.

—Era difícil que fallara la fórmula —añadí—. Un premio bastante fácil de conseguir.

Alberto hizo un inciso, para aclarar una cuestión que le había resultado chocante y quería precisar si lo había entendido bien:

—¿Has mencionado entradas?, ¿en plural?

—Sí, así es, dos entradas —afirmó Marta—. Una para ti y otra para Toni.

Mi padre quedó absorto ante esta noticia, que pareció justificar lo que había percibido ese día y daba explicación a la especial compañía que compartió el deleite, a su lado.

—No os lo vais a creer, pero él estuvo conmigo —manifestó Alberto—. Sentí su presencia, y fue tan asombroso que, a veces, pensaba que lo estaba soñando. Realmente experimenté algo fuera de lo común, lo noté tan cerca que os aseguro que parecía real.

—Quizá viviste un sueño real —comentó Marta.

—Y fue maravilloso —alegó mi padre.

—Toni y tú pudisteis cumplir esa promesa, que os hicisteis años atrás, y recuperar aquel regalo que murió en una papelera y parecía extinguido —dijo mi madre—. El enterrado romance ha renacido y habéis logrado, unidos, la meta de sentir y admirar a vuestro adorado Taj Mahal.

—Gracias por hacerlo posible —pronunció Alberto—. No puedo describirlo, porque las palabras no son capaces de plasmar algunos sentimientos, aunque sí puedo admitir que ha sido el mejor regalo de mi vida y seguro que para mi hermano también fue excepcional.

Una vez más, los ojos de mi padre se tornaron vidriosos, demostrando que esas lágrimas, que no salieron durante tanto tiempo, seguían latentes esperando su oportunidad.

—Mi regalo no ha sido solo el Taj Mahal —indicó Alberto—. He vivido una auténtica aventura en la que he reído, he llorado, he reflexionado y sobre todo he sentido. Esa ha sido la verdadera recompensa: volver a sentir de nuevo.

Mi madre y yo escuchábamos, satisfechos porque la transformación de mi padre era visible y el esfuerzo, con dosis de aberración, que habíamos realizado, logró el resultado deseado.

—He sentido a veces temor, otras ilusión, tristeza, alegría, nostalgia, amor... Llevaba mucho tiempo reprimiendo emociones y, en este viaje, creo que han emergido todas —continuó exponiendo Alberto—. Algunas de ellas ni siquiera sé cómo se llaman, pero han sido capaces de resurgir en mí una energía que pensaba que no existía.

»Podía estar días sin dormir o comer y apenas notaba la fatiga, al contrario, estaba completamente cargado al inicio de cada jornada, preparado para afrontar cualquier desafío, vibrando con cada hallazgo de esta travesía, en la que he descubierto el mundo y especialmente a mí mismo.

—Ese era el objetivo —expresó Marta.

—Pues lo habéis logrado —confirmó Alberto—, aunque no voy a negar que han existido momentos en los que tuve mucho miedo y lo pasé fatal.

—Eso constituía el envoltorio —dijo Marta—. Generalmente, un buen regalo se encuentra oculto detrás de varias capas de inseguridades y miedos, por eso, muchas veces desistimos de abrir un regalo de ese tipo, porque cuesta llegar hasta él, pero si actúas con valentía y te atreves a descubrirlo, quitando cada una de esas espinosas capas que lo envuelven, encontrarás un obsequio, tan preciado, que no tiene precio.

Alberto razonó lo que Marta había comentado y, efectivamente, hasta llegar a su galardón tuvo que superar obstáculos e incertidumbres pero, una vez superados, el premio compensó los escollos.

—Realmente ha sido como volver a nacer, una pesadilla que se vistió de sueño..., pero ¿y si llego a llamar a la policía?

—Se habría acabo todo, antes de comenzar. —Reconoció Marta—. Era un riesgo que había que asumir, aunque estaba convencida de que no lo harías.

—¿Por qué no?

—Porque nos quieres demasiado como para arriesgar nuestras vidas y dejarlas pendientes de las acciones de otros. Para alguien que le gusta tenerlo todo bajo control, sabía que, en este caso más que nunca, solo confiarías en ti mismo para salvarnos.

Esas palabras reconfortaron a mi padre, que se alegraba de no habernos fallado y haber cumplido nuestras expectativas, confirmando que su familia siempre creyó en él, a pesar de tener motivos para no hacerlo.

—Por cierto, ¿qué es este último paquete que llevo en la mochila? —preguntó mi padre, recordando repentinamente el objeto que recogió en la consigna del aeropuerto de Barajas y tenía que traer a esta dirección.

—Eso forma parte de la segunda parte: el motivo del secuestro —desveló Marta, levantándose de la silla—. Vamos a dar un paseo.

49

Caminamos por un sendero que salía a pocos metros de la casa y se adentraba, ondulando, por el amplio valle, escoltado por encinas, pinos, chopos, nogales, higueras y plantas aromáticas que perfumaban el virginal aire que respirábamos.

—Has completado tres misiones, en tres países, que cada una de ellas consistía en un regalo, esta última misión también se trata de otro obsequio, en este caso para mí —manifestó Marta, dejando a mi padre intrigado.

—¿Entonces tengo que dártelo a ti? —consultó Alberto.

—Sí, pero primero te contaré el porqué del secuestro.

Alberto, al oír esto, frenó la marcha. No quería perderse ni un solo detalle de las motivaciones que nos llevaron a hacerle creer que habíamos sido secuestrados. Un argumento que requería de una explicación que le aportara sentido y justificara un acto que, bajo una preliminar impresión, carecía de toda lógica.

—Fingimos nuestro secuestro para que pudieras ser consciente del tuyo —dijo mi madre, con una preparada frase que no resultó elocuente para Alberto.

—No entiendo lo que quieres decir.

—Lo que mamá quiere decir es que no éramos nosotros los que estábamos secuestrados, sino tú —esclarecí, sin lograrlo.

—Sigo sin pillarlo —insistió Alberto.

—Eras víctima de un secuestro ficticio, al igual que el nuestro —aclaró Marta—. Estabas secuestrado por una persona que, francamente, no eras tú, atado a una vida que no correspondía con tus ideales y sueños, esclavo de un trabajo que detestabas y sujeto a unos patrones que habías creado para justificar tu cómoda cárcel.

Mi padre bajó la cabeza y apuntó su mirada, vacía, hacia el horizonte, asimilando el testimonio que confirmaba la imagen que tenía su familia de él, una imagen que había sido incapaz de percibir previamente.

—Te encontrabas cautivo por otra persona diferente a la que conocimos, por eso inventamos el secuestro, para que nuestra liberación fuera realmente la tuya —agregó Marta.

—Tenéis toda la razón y ahora me doy cuenta, pero quizá no hubiera sido necesario llegar al extremo que habéis llegado —dijo Alberto.

—¿Realmente crees que no?

Alberto no se atrevió a contestar y dejó que Marta prosiguiera.

—¿Acaso no lo he intentado por otros medios, más moderados, decenas de veces?

Esa pregunta continuó sin respuesta, ante una certeza que le costaba reconocer.

—De nada servía una medida que te hiciera reaccionar unos días —indicó Marta—. No valía otro minúsculo cambio temporal que se diluiría rápidamente, no podía conformarme con un simple intento más. Una verdadera transformación no se alimenta de mitades, es necesario ir a por todo. La auténtica forma de liberarte, verdaderamente, era tener un motivo, de tanto peso, que no te dejara otra alternativa que abandonarlo todo para centrarte en su consecución. Esa era la única manera de sacarte de tu pasividad y obligarte a actuar..., llevarte a una situación límite.

Conforme los juicios expuestos cobraban forma, aumentaba la convicción de Alberto en ellos, venciendo las barreras mentales que tanto tiempo le habían asediado, manteniéndole inmerso en el mismo lugar del que no podía salir, en el que se encontraba atrapado, ciertamente secuestrado.

—¿Cuándo deja de fumar una persona que lo ha intentado numerosas veces? —lanzó Marta, encadenando una secuencia de preguntas.

—Cuando existe un motivo importante.

—¡Exacto! Lo hace cuando le diagnostican cáncer o sufre un infarto, por ejemplo —apuntilló Marta a la contestación de Alberto—. ¿Cuándo valoras el tiempo?

—Cuando se agota.

—¿Cuándo alguien aprecia su salud?

—Cuando la pierde.

—¿Y el amor?

—Igualmente, al perderlo.

—¿Y a su familia?

—También cuando la pierde, o existe la posibilidad de perderla. —Reconoció Alberto, sabedor de que era su condición.

—Lamentablemente, los humanos no aprendemos con pequeñas lecciones, aunque creemos que sí y lo intentamos una y otra vez sin éxito, son lecciones magistrales las que verdaderamente nos enseñan y provocan cambios reales —esbozó Marta—. El problema de estas lecciones, aunque enseñan mucho, es que a menudo son dolorosas. Tienen a la propia vida como maestra y, si tú no te preocupas de aprender por ti mismo cuando tienes la oportunidad de hacerlo, la vida te enseñará a la fuerza, de forma brusca y sin contemplaciones.

Alberto escogió una piedra de gran tamaño para sentarse y seguir atendiendo la interesante explicación.

—El secuestro fingido fue la motivación que te hizo despertar, reaccionar y movilizarte, pero también el medio para poder librarte de tu celda, para destruir la armadura que llevabas y recuperar tu identidad, conocer mundo y a ti mismo, vivir con entusiasmo, cumplir sueños y regalarlos a otras personas, arriesgar, sentir, descubrir lo esencial en tu vida, luchar por aquello que te importa y, en último lugar, llegar hasta ese regalo que llevas en la mochila. —Finalizó Marta, señalando la bolsa negra que tenía Alberto situada entre sus pantorrillas.

—¿Quieres que te lo dé? —preguntó Alberto.

—Sí, por favor.

Alberto abrió la cremallera y, metiendo su mano derecha dentro, sacó el pequeño paquete, entregándoselo a Marta y provocando mi impaciencia.

—Durante este año, separada de ti, he tenido mucho tiempo para reflexionar, conocerme y rebuscar en mi interior. Me he dado cuenta de lo que quiero en mi vida pero, sobre todo, de lo que no quiero —dijo Marta—. Álex y yo te hemos echado mucho de menos, pero no al Alberto del que nos distanciamos, sino al original.

Mi madre empezó a romper con sus dedos el cartón que envolvía el paquete, librando una pequeña cajita de plástico que posó en las manos de mi padre.

—Ábrela —solicitó Marta.

Levantó la pequeña tapa y desveló el contenido: un anillo de oro blanco. Lo examinó de cerca, divisando la inscripción de una fecha, que le hizo supurar emoción, al comprobar que se trataba de la alianza de su enlace.

—Si todavía sientes lo mismo que aquel día, que me pusiste ese anillo por primera vez, estaré encantada de aceptarlo —indicó mi madre, extendiendo su dedo anular.

Alberto, con delicadeza, lo introdujo en su dedo, haciéndolo sin vacilar ni un segundo, con la seguridad de que ese sentimiento nunca había desaparecido, solo estaba oculto, aguardando el impulso necesario para volver a emerger.

Mis padres sellaron el momento con un dilatado beso, arropado por mis aplausos y mi sonrisa, que volvió a brillar.

—Mi regalo es iniciar una nueva vida juntos —comunicó Marta, nada más soltarse—, pero partiendo de cero, dejando atrás todo aquello que nos apartó.

—Estoy dispuesto a empezar de nuevo —afirmó Alberto.

—Tienes que saber que eso implica prescindir de muchas cosas —advirtió Marta.

—Lo sé.

—Una de ellas es cortar con el pasado, Toni ya no está, tienes que aceptarlo y pasar página.

—No te preocupes, porque por fin lo he entendido —comunicó Alberto—, y su pérdida no es tan dolorosa, puesto que ahora sé en qué lugar encontrarlo.

Mi madre reveló una sonrisa, al observar la parte del cuerpo que Alberto señaló.

—También es necesario un cambio profundo de vida —añadió Marta—. No queremos seguir esperando a que llegues del trabajo y tengas un ratito para nosotros, no podemos seguir acostumbrándonos a ser solo compañeros de piso. Nos hemos cansado de promesas, de dilaciones, de intenciones, precisamos actos, no palabras estériles.

—Estoy de acuerdo y lo demostraré, porque ahora soy consciente de mis prioridades.

—En ese caso, te comentaré algo, un proyecto para recomenzar —indicó Marta titubeando, ya que le costaba contárselo, al no saber la aprobación que obtendría—. ¿Te habrás dado cuenta de que nuestra casa rural también ha vuelto a renacer?, ¿verdad?

—Claro que me he dado cuenta —respondió Alberto—. Al principio no la reconocí, está muy bonita, pero... ¿cómo ha sido?

—Esta casa siempre fue mi debilidad, el sitio donde más feliz me he encontrado y del que guardo los mejores recuerdos familiares —expuso Marta—. Cuando hace un año vine, después de tanto tiempo sin hacerlo, se me cayó el alma al suelo al abrir la puerta y verla tremendamente deteriorada. No era justo que un lugar, que tanto me había aportado, quedara devastado, no podía permitir que esa ilusión que me proporcionó, quedara postergada.

Hizo una pausa para sentarse en una de las numerosas piedras que ocupaban el terreno.

—A partir de entonces, comenzamos a venir asiduamente y emprendimos una reforma que le devolviera a ella la imagen que se merece y a nosotros esa paz que también demandamos —

alegó mi madre—. Aquí hemos recuperado la armonía perdida, y a lo mejor piensas que es una locura, pero desearía que fuera nuestro hogar.

Mi madre volvió a levantarse y, acercándose a Alberto, se situó frente a él en cuclillas.

—Aquí tengo todo lo que deseo, únicamente faltabas tú.

—Sería un cambio muy importante, pasar del bullicio de Madrid a una aldea deshabitada. —indicó Alberto.

—Claro que sí, pero a la gente que más me importa la tendría conmigo —repuso mi madre—. Estamos a noventa kilómetros de Madrid, podemos ir cuando queramos.

—¿Y Álex? —preguntó Alberto, buscando un pretexto para alojar la duda.

—A quince minutos de aquí hay un instituto donde puede matricularse —informó Marta—. No busques algo que nos falte, porque siempre habrá algo, por el contrario fíjate en todo lo que tendremos: este precioso valle, esta banda sonora de pájaros a nuestro alrededor, los senderos, el aire puro, las estrellas, el remanso de paz, tiempo para compartir...

—¡Será genial! —exclamé, animando la decisión.

—Podemos formar aquí nuestro propio negocio y crear un hotelito rural —dijo Marta, sorpresivamente—. Tú conoces ese mundillo y tienes las habilidades necesarias. Si has hecho que funcione para otros, seguro que sabrás lograrlo para ti mismo —sentenció, tocando la fibra de Alberto, con una posibilidad que comenzaba a atisbar y verla posible.

—Vamos, papá, ¿por qué no? —lancé.

Y eso mismo se preguntó mi padre: ¿por qué no?

—Con los ahorros que tenemos, podemos terminar de reformarlo y acondicionarlo. —Continuó Marta aportando tentadores argumentos.

—Sobre todo con el dinero que ya daba por perdido para invertirlo en vuestro rescate —agregó Alberto, provocando nuestra risa.

¡Efectivamente! —pronunció Marta—. Con ese dinero podemos dejar un alojamiento rural precioso, que además de nuestro negocio sea nuestra casa, aunque para eso tendrías...

—¿Que dejar mi trabajo? —Se anticipó Alberto a la frase inacabada de mi madre, intuyendo a qué se refería.

Marta asintió con la cabeza, con semblante adusto, porque imaginaba que sería un obstáculo difícilmente franqueable.

—Por eso no te preocupes, no hace falta que lo deje, ya me han echado —confesó Alberto, incitando nuestro asombro.

—¡¿Qué?! —voceamos al unísono.

—No me apetece explicarlo ahora, ya os lo contaré en otro momento —articuló, zanjando un asunto que, en otro tiempo, se habría convertido en el inicio de una pesadilla y ahora constituía el inicio de un sueño.

—No hace falta que lo cuentes, no me importa, solo me interesa el presente, nuestro presente —expresó Marta.

—A mí también, y me habéis convencido, acepto el reto, forjaremos un nuevo comienzo aquí —emitió Alberto—, pero esta vez no cometeremos el mismo error, ahora que todos sabemos lo que significa estar secuestrados, no volveremos a construir otra jaula, quiero que seamos totalmente libres para viajar, conocer gente maravillosa, aprender, acumular experiencias, disfrutar del tiempo, experimentar sensaciones, vivir con pasión y saborear muchos cafés a solas.

—¿Qué es eso del café a solas? —pregunté extrañado.

—Algún día lo sabrás —respondió mi padre, acariciando mi mejilla.

Y los tres nos abrazamos, contentos porque estábamos otra vez unidos, satisfechos porque el rescate había sido un éxito y todos los regalos fueron entregados. Regresamos cogidos de la mano, con el crepúsculo de espectador, atravesando una nueva senda, diferente a la del trayecto de ida que, al igual que la nueva ruta que emprendíamos, nos conduciría al mismo lugar común, avanzando por una vía inexplorada, pero ilusionante.

Unos metros antes de llegar a la puerta de entrada, mi padre inesperadamente se detuvo, frunció el ceño con sorpresa y empezó a enumerar las dádivas, porque cayó en la cuenta de que le faltaba una.

—Vamos a ver, haciendo balance, René y Patrice tuvieron su regalo; Toni, Marta y yo también, pero... ¿cuál ha sido el regalo de Álex?

50

5 años después

El día que mi padre formuló la pregunta, no supe la respuesta, incluso llegué a pensar que, ciertamente, nos habíamos olvidado de mí, sin embargo, al pasar el tiempo y conseguir perspectiva, he descubierto que, sin duda, yo fui el que más obsequios obtuve.

Después de aflojar su venda, Alberto cambió y demostró que la metamorfosis era posible, comprendió sus prioridades, destapó su esencia y resurgió su verdadero ser. Por fin se libró, definitivamente, de ese trasto inútil llamado culpa y logró perdonarse, no solo eso, también permutó la resignación por la aceptación, entendió que las cosas pudieron ser de otra manera, pero no lo fueron, ocurrieron así y así hay que aceptarlas.

Marta dejó de quejarse en silencio y actuó, apostando por el amor, un amor tan intenso que no podía conformarse con rendirse y sucumbir, cuando la meta es extraordinaria, no es suficiente con intentarlo «casi» todo. Su sueño se hizo realidad y construimos el hotel rural, tal y como planeamos, instalándonos en este idílico entorno, con un estanque, un bonito jardín, un huerto, una pequeña granja, la naturaleza como decorado y una cita de Proust, pintada en la puerta de entrada, que reza: «Aunque nada cambie, si tú cambias, todo cambia».

Durante estos cinco años he recibido el mejor regalo: amor, mucho amor. He vivido con ilusión, emoción, lágrimas, sonrisas, aprendizaje, experiencias y la potestad de exprimir el jugo de la libertad, gracias a una casa con las puertas abiertas al mundo, para poder conocerlo un poquito mejor. Con este propósito, hemos viajado mucho, desvelando, de esta manera, un nuevo y mágico agasajo que me ha aportado algunas de las más preciadas enseñanzas, sobre todo porque no se olvidan.

En Perú, lamentablemente, no tuve la oportunidad de conocer a René, aunque sí a su hijo, que nos acompañó hasta Machu Picchu, donde descubrí el auténtico significado de la palabra «belleza».

También estuvimos en Cuba, en esta ocasión junto a Patrice y mi prima Janet quien, ya con seis años, regresó a La Habana, al lugar en el que nació, donde comprobé que la sonrisa es independiente de las circunstancias, y la actitud que adoptas ante estas... una elección.

Por supuesto, no podía faltar India, donde viajamos el otoño pasado, recorriendo el norte de este fascinante país, terminando el itinerario, como no, en el Taj Mahal, que me mostró la perfección de un monumento capaz de emocionarte con su mirada. En esta visita también nos acompañó el tío Toni, que no desaprovechó la oportunidad de volver a sentirlo, al igual que yo a él, para después guardarlo en el mismo hueco donde mi padre lo hacía, comprendiendo que el lugar donde las personas perduran para siempre no se encuentra en el cementerio, sino en el corazón.

Esos fueron los regalos que adquirí, una vez que el secuestro terminó y nuestra historia comenzó. Unas recompensas que continúan habitando en mi interior, sin menoscabo de que el tiempo algún día pueda apartarlas o desgastarlas, aunque ¿a quién le preocupa el futuro cuando el presente es apasionante? Lo único que realmente me importa es vivir este momento, sin temor por la posibilidad de que mis tesoros algún día se desvanezcan, porque seguramente otros distintos permanecen escondidos, esperando a ser hallados.

Y muchos pensarán que fuimos unos locos, y realmente lo fuimos, nosotros por apostarlo todo a una carta y mi padre por dejarlo todo por una carta; también puede parecer incoherente culminar la vida inacabada de alguien que ya no tiene vida o recorrer más de treinta mil kilómetros, simplemente, para darte cuenta de que aquello que estabas buscando, se encontraba en casa.

¿Acaso la vida tiene coherencia?... ¿Es coherente despertarse, cada día, al lado de una persona que no te importa?, ¿amar a quien te hace daño?, ¿intentar salvar una relación teniendo un hijo?, ¿hacerte preguntas que no tienen respuesta?, ¿preocuparte por lo que pueda suceder y no por lo que sucede?, ¿darle más valor a lo que otros piensan de ti que a lo que piensas tú?, ¿vivir en el pasado?, ¿planear el futuro y no el presente?, ¿soñar durmiendo y no despierto?

Habría sido más fácil no hacer nada, dejar que sea el tiempo quien actúe en lugar de nosotros, vivir con nostalgia de lo que un día fue o imaginando lo bonito que pudo ser, sin embargo, yo prefiero equivocarme a vivir con dudas porque, en el tablero de la vida, puedes ganar o perder, pero siempre hay que salir a jugar.

Tal vez, también esté loco por ser un joven que prefiere residir en una aldea, en medio de la naturaleza, en vez de hacerlo en la vibrante Madrid; por escuchar el canto de los pájaros o el silbo del viento en lugar de la música de una discoteca; por pasar más tiempo delante de un libro que de una pantalla; por anteponer la calma a la prisa; por disfrutar de un paseo por el monte más que en la barra de un *pub*; por gustarme más el cielo estrellado que el que está impuro y oscuro; por elegir las redes personales antes que las sociales; por aprender escuchando, por valorar el silencio, por llorar de emoción, por celebrar sin fecha, por agradecer sin motivo o por sentir los instantes, como el que gozo ahora mismo.

Sentado en esta pequeña terraza, tan sencilla como perfecta, alzo la vista y, de forma pausada, observo lo que acontece delante, amplificando mis sentidos para advertir el detalle, captar la paz y experimentar el mutismo mental. Cada elemento ocupa su sitio de forma armoniosa: a mi izquierda, el teléfono móvil reproduce mi lista de canciones favoritas; a mi derecha, una humeante taza reposa sobre la mesa; al frente, el sol languidece, apagando el día, cerrando lentamente el telón de este escenario natural.

Aguardo hasta que los últimos rayos se desvanecen y el cielo cambia de color, mientras levanto, con ambas manos, esa taza que tantas veces ha jugado con mis dedos, acercándola para que mi olfato pueda impregnarse de su intenso aroma, antes de acometer un nuevo sorbo.

Desde mi selecto rincón, como cada tarde, disfruto de otro regalo que obtuve —o quizá una locura más—, saboreando, con la mejor compañía, un café a solas.

Gracias por tu confianza y por haber escogido esta lectura, entre tantas opciones posibles.

Si te ha gustado el libro, te agradecería profundamente que dejaras una pequeña reseña en Amazon, ya que esto es fundamental para ayudar a que esta novela pueda llegar a más personas.

GRACIAS ∞

OTROS TÍTULOS DEL AUTOR:

Una nueva novela que toca el corazón, a través de una bonita historia, plagada de lecciones vitales, que te conducirá por un revelador camino de descubrimiento, con la finalidad de proporcionar una completa experiencia lectora, que te impulse a desvelar *LO QUE ERES*.

Sumérgete en un viaje hacia tu interior. Descubre el libro que ha emocionado a miles de lectores, convirtiéndose en un símbolo de amor, motivación y superación, en el que descubrirás que existir no es lo mismo que vivir.

Si deseas contactar conmigo, será un verdadero placer escucharte y estaré encantado de atenderte:

miguelangelmontero.com

contacto@miguelangelmontero.com

@miguel.angel.montero

miguelangelmonteroescritor

Made in the USA
Las Vegas, NV
24 December 2024

15322337R00144